# Martha Jac a Sianco

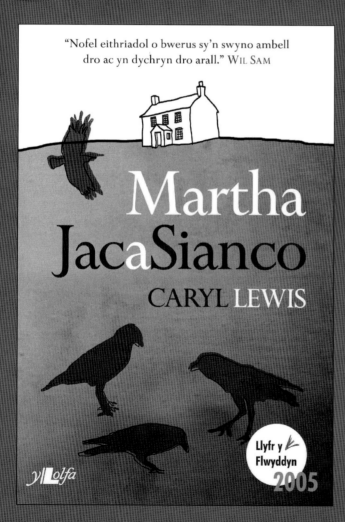

"Nofel eithriadol o bwerus sy'n swyno ambell dro ac yn dychryn dro arall." WIL SAM

Martha
JacaSianco
CARYL LEWIS

yLolfa

Llyfr y Flwyddyn 2005

**gan Bleddyn Owen Huws**

Nodiadau ar gyfer astudio nofel Caryl Lewis

@ebol

**Cydnabyddiaethau**

**Cyhoeddwyd gan © Atebol Cyfyngedig 2009**

Cedwir y cyfan o'r hawliau. Ni chaniateir atgynhyrchu unrhyw ran o'r cyhoeddiad hwn na'i throsglwyddo ar unrhyw ffurf neu drwy unrhyw fodd, electronig neu fecanyddol, gan gynnwys llungopïo, recordio neu drwy gyfrwng unrhyw system storio ac adfer, heb ganiatâd ysgrifenedig y cyhoeddwr neu dan drwydded gan yr Asiantaeth Trwyddedu Hawlfreintiau Gyfyngedig. Gellir cael manylion pellach am y trwyddedau hyn (ar gyfer atgynhyrchu reprograffig) oddi wrth yr Asiantaeth Trwyddedu Hawlfreintiau Gyfyngedig/Copyright Licensing Agency Limited, Saffron House, 6-10 Kirby Street, Llundain/London EC1N 8TS.

Cyhoeddwyd yn 2009 gan Atebol Cyfyngedig, Adeiladau'r Fagwyr,
Llanfihangel Genau'r Glyn, Aberystwyth, Ceredigion SY24 5AQ
www.atebol.com

ISBN 978 -1-907004-12-4

Dyluniwyd gan **Stiwdio Ceri Jones**, stiwdio@ceri-talybont.com
Paratowyd gan **Atebol Cyfyngedig**, Adeiladau'r Fagwyr,
Llanfihangel Genau'r Glyn, Aberystwyth, Ceredigion SY24 5AQ
**www.atebol.com**

Noddwyd gan Lywodraeth Cynulliad Cymru

# CYNNWYS

# 1. Rhagarweiniad

## 1.1 Gwlad a thref

Clywir llawer o sôn y dyddiau hyn yng Nghymru am y cyferbyniad rhwng gwlad a thref, rhwng y bywyd dinesig a'r bywyd gwledig. Wrth i fwy a mwy o rymoedd gael eu datganoli o San Steffan yn Llundain i Lywodraeth Cymru yng Nghaerdydd, cryfhau y mae statws y brifddinas a chynyddu y mae'r cyfleoedd i bobl ifanc symud yno i fyw a gweithio. Wrth i adeiladau eiconig Stadiwm y Mileniwm a Chanolfan y Mileniwm ddyfod yn llwyfan i nifer o ddigwyddiadau cenedlaethol ym maes chwaraeon a'r celfyddydau, datblygodd y brifddinas i fod yn Feca i nifer o Gymry ifainc o gefn gwlad sydd â'u bryd ar fyw mewn metropolis Cymreig. Ond nid datblygiad newydd mo hyn.

Byth oddi ar y Chwyldro Diwydiannol esgorodd cyfalafiaeth ar newid mewn patrymau cymdeithasol ac economaidd a olygai fod pobl yn symud i ardaloedd mwy poblog i chwilio am waith a chynhaliaeth. Bu pyllau glo y De a chwareli'r Gogledd yn atynfa i filoedd lawer o Gymry a oedd yn awyddus i ffoi rhag dirwasgiad a thlodi'r tir mewn ardaloedd gwledig. Cryfhaodd hyn wead y bywyd pentrefol a threfol yn y cymoedd a'r dyffrynnoedd diwydiannol, ond yn ei dro bu'n gyfrwng i dlodi cymdeithas a diwylliant cefn gwlad. Mae fel petai'r sefyllfa economaidd a chymdeithasol hon wedi bodoli ers bron i ddwy ganrif yng Nghymru, ac mae'n parhau hyd y dydd heddiw. Ni chyfyngwyd y duedd i Gymru'n unig, oherwydd fel y mae grym cyfalafiaeth yn lledaenu ac yn cryfhau mewn gwledydd fel China ac India fe glywir o hyd am gymdeithasau gwledig amaethyddol yn gwegian, ac fel y mae pobl ifanc yn bennaf yn cael eu gorfodi gan dlodi i droi i'r canolfannau trefol a dinesig er mwyn chwilio am waith a gwell amgylchiadau byw. Cânt eu denu gan oleuadau lliwgar y dinasoedd mewn sawl gwlad. Mae'n rhan o batrwm cyfarwydd ledled y byd. Mae'n batrwm sy'n fythol bresennol yn y profiad dynol diweddar.

## 1.2 Dyn a'i amgylchfyd

Amgylchiadau economaidd a gwleidyddol yn bennaf sy'n rheoli bywydau pobl mewn cymdeithas, ac mae'r grymoedd hynny erbyn heddiw yn fyd-eang ac yn bellgyrhaeddol. Yr ydym mor gyfarwydd â chlywed defnyddio'r term globaleiddio heb iawnddeall yn union hyd a lled ei ddylanwad na'i ganlyniadau. Teimlir bod y byd yn mynd yn llai wrth i gysylltiadau cyfathrebu gyflymu. Mae cynnydd economaidd carlamus mewn rhai rhannau o'r byd yn golygu bod cynnydd hefyd yn y bygythiad i amgylchfyd y blaned gyfan. Wrth i boblogaeth China ymgyfoethogi yn sgil twf masnachol a diwydiannol, mae mwy o bwysau ar adnoddau naturiol y ddaear, ac mae'r elfennau sy'n cynnal bywyd – dŵr, awyr, a daear – o dan fwy o fygythiad heddiw nag erioed. Ac yng nghanol y byd hwn sy'n cyflym newid y mae pobl yn gorfod byw eu bywydau eu hunain orau y medrant.

Wrth inni ystyried y bygythiadau difrifol sydd i amgylchedd y ddaear down wyneb yn wyneb â'r her sydd i allu'r ddynoliaeth i oroesi. Ond y mae'r frwydr i oroesi hefyd yn wynebu unigolion mewn gwahanol gymdeithasau wrth i batrwm bywyd newid. Yma yng Nghymru y mae'r iaith Gymraeg yn ei chadarnleoedd traddodiadol yn ymladd am ei heinioes. Yng Nghymru hefyd y mae'r gymdeithas wledig dan bwysau mawr wrth i fwy a mwy o wasanaethau sylfaenol gael eu herydu. Ni ellir osgoi ystyried y pynciau hyn wrth inni astudio llenyddiaeth gyfoes yn gyffredinol, oherwydd os yw llenyddiaeth yn dweud unrhyw beth wrthym o gwbl am gyflwr dyn yn y byd ac mewn cymdeithas, dweud y mae fod dyn mewn gwahanol amgylchiadau'n gorfod ymdopi â newid. Newidiaeth – dyna rywbeth y mae'n rhaid i bawb ohonom ddygymod ag ef am oes neb na dim yn aros yn ddigyfnewid. Mae cyfansoddiad biolegol ein cyrff yn golygu ein bod yn heneiddio gyda threigl amser. Golyga hynny fod pobl a chymdeithas yn newid dan eu pwysau eu hunain yn ogystal â than bwysau oddi allan.

### 1.3 Bywyd bregus

Ar ddechrau'r unfed ganrif ar hugain y mae gwead y gymdeithas wledig yn gwegian, ond mae thema dirywiad y bywyd gwledig mewn llenyddiaeth Gymraeg yn un a ddaeth i amlygrwydd o chwedegau'r ugeinfed ganrif ymlaen. Diboblogi, mewnfudo, prinder tai a gwaith, yr angen am warchod etifeddiaeth a'r iaith a ffordd o fyw – mae'r themâu'n ddigon cyfarwydd. Gwelwyd trafod y pethau hyn yn ddiweddar mewn barddoniaeth Gymraeg yn enwedig wrth i feirdd fel Twm Morys a Ceri Wyn Jones mewn awdlau wneud defnydd creadigol o rai tueddiadau cymdeithasol yn y Gymru sydd ohoni. Baich etifeddiaeth yw thema awdl 'Gwaddol' Ceri Wyn Jones (Y Bala, 1997) a 'Drysau' Twm Morys (Maldwyn a'r Gororau, 2003).

Dangosodd Ceri Wyn Jones pa mor unig ac ynysig y gall bywyd cefn gwlad fod erbyn hyn, o gymharu â sut yr arferai pethau fod cyn i'r gymdeithas wledig newid yn gyflym a datgymalu. Yn ei awdl ef darlunnir cymeriad sy'n byw gyda'i fam weddw ac a etifeddodd fferm ar ôl ei dad, ond nid ffermio oedd ei ddymuniad. Aeth y gwaith yn faich arno nes iddo yn y diwedd gyflawni hunanladdiad. Lluniodd nodyn ar gyfer ei fam ac arno'r geiriau: 'Mam, yn y wir, sa'i moyn hyn.' Dihangodd rhag pwn ei etifeddiaeth a chaethiwed dull o fyw na welai ynddo ddim diddanwch.

I gymdeithas amaethyddol sydd wedi byw dan gysgod argyfyngau fel Clefyd y Gwartheg Gwallgof yn niwedd y nawdegau, a arweiniodd at ddirwasgiad yn y diwydiant amaethyddol pan waharddwyd allforion cig o wledydd Prydain, ac yna ymlediad difaol Clwy'r Traed a'r Genau yn 2001, ac eilwaith am gyfnod yn 2007, nid yw pethau fel y buont. Dyna paham y mae rhywfaint o gysgod hynny ar y nofel hon – rhyw fygythiad o'r tu allan sydd yno'n wastadol; pwerau bygythiol sy'n hofran yn y cefndir ac sy'n darogan rhyw fath o ddinistr. Fel merch fferm o Geredigion sydd hefyd wedi priodi ffermwr, gŵyr yr awdur yn dda am y pwysau sydd ar gefn gwlad a'r diwydiant amaethyddol. Ac mae'r diwydiant hwnnw'n cael ei gynnal gan weithlu sy'n heneiddio, oherwydd y mae cyfartaledd oedran amaethwyr yng Nghymru bellach dros 55. Er bod amaethu yn apelio'n fawr at lawer o bobl ifanc sydd am ennill bywoliaeth ar y tir a chynnal a chadw bywyd cefn gwlad, mae'n mynd yn gynyddol anos i ffermwyr ifainc allu cychwyn amaethu, oni bai eu bod yn etifeddu tir a stoc a pheiriannau.

### 1.4 Gwerth llenyddol

A oes raid i'r darllenydd fod yn gyfarwydd â chefndir nofel cyn y gall ei deall a'i mwynhau? Y gwir amdani yw y gall ffuglen realaidd greu byd dychmygol sy'n sefyll ar ei draed ei hun a bod yn ddealladwy am ei bod yn darlunio bywydau pobl ac yn ymdrin â theimladau dynol. Yn y bôn, yr un yw teimladau pobl ni waeth i ba gymdeithas neu ddiwylliant neu gyd-destun y maent yn perthyn. Hynny yw, nid oes raid bod yn gyfarwydd â bywyd y wlad i allu gwerthfawrogi nofel am gefn gwlad. Yn yr un modd, nid oes raid bod yn gyfarwydd â'r math o isfyd dinesig y mae awdur fel Llwyd Owen yn ei ddarlunio mor graffig yn ei nofelau yntau cyn y gellir eu gwerthfawrogi. Os yw'r gwaith yn argyhoeddi ac yn rhoi boddhad, ac yn rhoi cyfle inni gnoi cil ymhellach ar ei arwyddocâd ac i'w ddehongli, y mae'n ddarn o waith llenyddol llwyddiannus.

# 2. Y Stori neu'r plot

Nofel yw hon sy'n darlunio amgylchiadau teulu'r Graig-ddu, fferm laeth fechan mewn cwm diarffordd ar arfordir Ceredigion, a hynny dros gyfnod o flwyddyn, o drothwy un gaeaf hyd at aeaf y flwyddyn ganlynol. Gyda threigl y tymhorau dilynwn hynt a helynt y teulu hyd at ei ddiwedd trasig. Y prif gymeriadau yw Martha, sy'n hen ferch, a'i dau frawd sy'n hen lanciau, Jac a Sianco, tri chymeriad sy'n ein hatgoffa o bortreadau o gymeriadau cefn gwlad gan yr artist Aneurin Jones. Ar ysgwyddau Martha y gorwedd y cyfrifoldeb am gadw'r tŷ ar ôl dyddiau ei mam. Daw'n amlwg i Mami, a fu farw rai blynyddoedd ar ôl ei gŵr, beidio â rhannu'r etifeddiaeth yn ei hewyllys, ond yn hytrach adael y cyfan rhwng y tri phlentyn. Gobaith Jac fel y mab hynaf oedd y byddai ef yn etifeddu'r fferm deuluol gan iddo dreulio'i oes gyfan yn gweithio arni. Ond yr oedd y fferm hefyd yn gartref i'r teulu, ac o ganlyniad yr oedd ystyriaeth arall, sef pwy a fyddai'n edrych ar ôl Sianco gan nad oedd yn ddigon cyfrifol i allu edrych ar ei ôl ei hun.

Erbyn hyn, yn hydref ei ddyddiau, mae gan Jac gariad, sef Judy. Saesnes yw honno a ddaw'n wreiddiol o Leeds, ac mae Martha yn amau ei chymhellion. Gan fod Jac yn canlyn Judy, gwnaeth dipyn o sôn amdano'i hun, nes bod pobl eraill yn y gymdogaeth hefyd yn dechrau amau beth oedd gwir gymhellion Judy. Casglwn mai dymuniad Jac oedd i'w gariad ddod i fyw ar aelwyd y Graig-ddu, ond ni allai hynny ddigwydd tra oedd ei chwaer yn dal i fyw yno. Dyna pam y mae Jac yn cymell Martha i symud i fyw at Gwynfor, ei chariad hi, sy'n awyddus iddynt briodi – er nad yw'n ymddangos fod y garwriaeth yn un wresog iawn. Yr oedd y gorffennol yn cydio'n rhy dynn ym Martha iddi allu cefnu ar ei chartref. O dipyn i beth y mae'r amgylchiadau yn arwain at ffraeo parhaus wrth i Judy ddylanwadu ar Jac nes creu cryn dyndra rhyngddo a'i chwaer.

Un digwyddiad arwyddocaol sydd fel petai'n lledu'r bwlch rhwng Martha a'i brawd yw fod Jac yn ymddwyn yn annodweddiadol drwy werthu hen gar y teulu a phrynu cerbyd 4x4 newydd sbon, a hynny heb ymgynghori dim â'i chwaer. Gan mai Martha a arferai fynd i siopa i'r dref unwaith yr wythnos yn yr hen gar, yr oedd y cerbyd newydd yn rhy anhylaw iddi hi ei drin, ac mae hynny'n golygu ei bod yn gorfod dibynnu ar Judy i'w gyrru yn ôl a blaen. Mae hynny'n dân ar groen y ddwy ohonynt. Mae'r amheuon ym meddwl Martha ynghylch gwir gymhellion Judy yn cynyddu.

Yn gefndir i'r cyfan mae calendr tymhorol y fferm, a'r slafdod o orfod godro ddwywaith y dydd sy'n golygu fod Jac ynghlwm wrth ei waith bob dydd o'r flwyddyn. Mae'n fywyd caled a chaethiwus. Nid yw'n mynd i unlle ond i gysgu yn nhŷ cyngor Judy, pan na fyddant yn rhannu'r babell a godwyd yng Nghae Marged. Y trobwynt mawr yw salwch Jac. Caiff strôc sy'n golygu na all barhau i ffermio. Daw'n amlwg erbyn diwedd y nofel mai hoeden ddichellgar oedd Judy a berswadiodd Jac i gofrestru'r cerbyd newydd yn ei henw hi ac i drosglwyddo swm mawr o arian o gyfrif cynilion y fferm iddi. Twyllodd bawb i feddwl ei bod am ysgaru â'i gŵr, ond lladrones oedd hi mewn gwirionedd a oedd â'i bryd ar gael ychydig o hwyl a phluo Jac a fu mor ddiniwed a ffôl â chredu ei bod am rannu gweddill ei bywyd ag ef. Yr oedd ef yn mwynhau'r berthynas rywiol a oedd ganddo â hi, does dim dwywaith, a chredai y byddai hi'n rhoi rhywfaint o gysur iddo yn ei henaint.

O fewn cwmpas y flwyddyn olaf hon yn hanes y teulu cawn olwg ar orchwylion beunyddiol a thymhorol y fferm – aredig ac wyna yn y gwanwyn, cneifio yn nechrau'r haf, a chynaeafu'r gwair a'r ŷd yn yr hydref. Ond adeg y cynhaeaf y mae Jac yn cael ei daro'n wael, a dyna fwrw'r cyfan oddi ar ei echel a chyflymu tranc bywyd y Graig-ddu. Mae popeth yn y diwedd yn arwain at wagu'r fferm. Mae'r stoc yn cael ei werthu am na all Martha barhau i gadw gwartheg godro ar ei phen ei hun a hithau â llond ei dwylo'n gofalu ar ôl ei brawd claf a Sianco.

Mae cysgodion brawychus a bygythiol drwy'r nofel. Un digwyddiad afreal llawn dirgelwch yw ymweliad yr hyn y mae Martha yn ei gredu sy'n frân ddu yn curo ar ffenestri'r tŷ berfeddion nos ac yn ei chadw'n effro. Ar y dechrau, gwnaiff hyn iddi amau mai Jac a Judy sy'n ceisio'i dychryn er mwyn iddi adael y cartref. Pan ganfydda Martha mai cigfran sydd yno'n ceisio dod i'r tŷ, mae rhywun yn amau ai yn ei dychymyg hi yn unig y mae'n bodoli, neu ynteu ai math o aderyn corff ydyw sy'n rhagargoel o'r lladdfa sy'n dilyn. Penderfyna Martha geisio gwenwyno'r frân sy'n aflonyddu arni â Strychnine, sef gwenwyn a ddefnyddir ar ffermydd i ladd tyrchod daear a llygod mawr. Ond yr oedd y gwenwyn mor beryglus fel y rhybuddiwyd hi gan Mami ei fod yn gallu lladd saith gwaith. Hynny yw, petai anifail yn bwyta anifail arall a gafodd ei ladd gan y gwenwyn fe fyddai'n ddigon pwerus i ladd saith o anifeiliaid i gyd yn eu tro o fewn y gadwyn.

Yn y diwedd mae Sianco'n cael gafael ar y gwenwyn ac yn ei roi mewn diod o laeth i'w frawd claf yn ei wely, cyn cymryd peth ei hun. Dyna sy'n bylchu'r teulu, ac yn y bennod olaf mae Martha'n cofio rhybudd Mami ynghylch perygl y gwenwyn yn lladd am y seithfed tro. Yr awgrym cryf ar y diwedd yw mai Martha fydd y seithfed ysglyfaeth drwy gyflawni hunanladdiad.

Ni ellir dianc rhag cysgodion y gorffennol, nac ychwaith yn bennaf rhag etifeddiaeth y tri phrif gymeriad. Mae'r presennol mor fregus am eu bod yn heneiddio ac yn ddi-blant. Does dim parhad i fod yn hanes y teulu. Yr hyn a welwn yw pa mor galed a chaethiwus y gall bywyd fod ar fferm yn y Gymru wledig sydd ohoni. Rhygnu byw y maent. Y mae eu holl fywyd yn troi o gwmpas gwaith dyddiol a thymhorol y fferm.

Dangosir fel y maent yn gaeth i'w tynged. Mae sôn yma mewn un lle am ffawd. Eu tynged hwy oedd byw yn eu cartref ar y fferm ar ôl dyddiau eu rhieni heb allu gollwng gafael ar y lle; maent wedi eu caethiwo, maent ynghlwm wrth y tir, fel y mae Martha yn gallu clywed y ddaear yn anadlu, a chynigir inni olwg ar y cwlwm rhwng pobl a thir a ffordd o fyw. Mae dylanwadau o'r tu allan am gyfnod yn bygwth newid bywyd y teulu, ac mae'r newidiadau posibl a ddaw yn sgil y dylanwadau hynny'n creu llawer o dyndra rhwng y tri phrif gymeriad. Ond yn y bôn, maent yn rhannu'r un genynnau, yn tarddu o'r un cnawd, yn rhannu'r un etifeddiaeth, a'r eironi yw eu bod ar y diwedd yn rhannu'r un dynged.

# 3. Y cymeriadau

### 3.1 Martha

Dyma brif gymeriad y nofel ac mae'r portread ohoni yn un angerddol. Er iddi fod yn canlyn â Gwynfor am ugain mlynedd, parhaodd yn hen ferch o ddewis. Mae rhywbeth hunanaberthol yn y ffordd y cysegrodd ei bywyd yn llwyr i wasanaethu ei brodyr a llenwi'r bwlch a adawyd gan Mami. Mae'n hoff iawn o ddefodau gan ei bod yn gofalu cofio am ben-blwydd Mami bob blwyddyn, ac yn gosod torch ar ei bedd bob Nadolig. Hi yn unig, nid Jac na Sianco, sy'n parchu'r pethau hyn, ar wahân efallai i'r tro hwnnw pan â'r tri ar eu hymweliad blynyddol â'r Banc Uchaf ar ddiwrnod gŵyl ar ddiwedd yr haf. Ond mae rhywbeth bron yn afiach ac annaturiol yn y ffordd y cadwyd ystafell wely Mami a Dat fel amgueddfa neu greirfa, fel petai Martha am barhau'n deyrngar i'r gorffennol ond yn methu â gollwng gafael ynddo ychwaith.

Gellir dadlau bod Martha'n trin Gwynfor yn annheg. Mae ganddo ef resymau da dros ofyn iddi ei briodi a symud ato i fyw. Wedi'r cyfan, yr oedd yn rhy ddiweddar iddynt feddwl am gychwyn teulu, ond byddai'r naill a'r llall yn gwmpeini ac yn gysur i'w gilydd weddill eu hoes. Arwydd o faint cariad Gwynfor tuag ati yw y byddai'n fodlon gadael i Sianco ddod i fyw gyda hwy yn Nhroed-rhiw (gw. t. 53). Nid oes gan Martha'r dewrder i wrthod ei gais yn onest a chlir. Sylwer fel y mae'n osgoi rhoi ateb pendant pan fo Gwynfor yn ceisio ymresymu â hi. Ei hunig amddiffyniad rhag derbyn ei gynnig yw hwn:

"Ond wedodd Mami..." (t. 18)

Er nad yw'n gorffen y frawddeg, dywedodd ddigon i awgrymu ei bod yn dal i barchu barn a dymuniad Mami yn lle meddwl drosti'i hun a chydio yn y cyfle o'i blaen yn hytrach na glynu wrth y gorffennol. Yn ei ymgais daer i geisio ei chael i weld rheswm, geiriau cyfiawn Gwynfor yw:

"Anghofiwch Mami am eiliad, newch chi?" (t. 18)

A dyna'r gwendid. Am nad yw'n fodlon anghofio am Mami y mae Martha'n methu â meddwl am gefnu ar y Graig-ddu a mabwysiadu bywyd newydd. Mae'r teyrngarwch sydd ganddi at y gorffennol yn ei chadw'n gaeth. Ond y mae lle i amau'n gryf a oedd hi mewn cariad â Gwynfor o gwbl, oherwydd pan yw'r ddau yn cyfarfod eto ymhen misoedd, a Gwynfor erbyn hyn wedi priodi a chael plentyn, mae Martha'n cyfaddef y gallasai fod wedi newid cwrs ei bywyd trwy dderbyn ei gynnig, ond nad felly y gweithiodd pethau am na allai yn ei byw adael ei chartref (tt. 178-80). Wrth geisio dehongli ei theimladau tuag at Gwynfor, mae'n teimlo math o drueni sy'n deillio o fethu â charu rhywun. Dyma'r frawddeg allweddol:

Y trueni hwnnw na fyddai wedi gallu ei deimlo am rywun pe bai hi'n ei garu. (t. 180)

Ond yr oedd rheswm arall hefyd pam na allai dderbyn ei gynnig, rheswm a ddaw'n amlycach erbyn tudalen 173 ym mhennod 32 pan ddatgelir inni'n llawn am y tro cyntaf y gyfrinach bersonol ddirdynnol y bu Martha'n ei gwarchod ers pan oedd yn bymtheg oed, sef iddi gael ei beichiogi gan Wil Tyddyn Gwyn ac iddi roi genedigaeth i faban yng Nghae Marged, ond i hwnnw farw a chael ei gladdu o dan y dderwen. Yr oedd darn o'i chnawd hi ym mhridd y Graig-ddu.

Er bod Martha a Jac yn ffraeo fel ci a chath, fe welir tua diwedd y nofel pan yw Jac yn wael gymaint yr oedd ei chwaer yn ei garu mewn gwirionedd. Aberthodd ei rhyddid a'i hapusrwydd personol ei hun i raddau er mwyn gwasanaethu ei theulu. Ac er i Jac ei chymell sawl gwaith i adael y Graig-ddu a byw ei bywyd, yn eironig ddigon yr oedd arno angen Martha yn y diwedd i edrych ar ei ôl yn ei salwch. Yr hyn sy'n dangos ei thrugaredd tuag at ei brawd yw ei bod yn fodlon cuddio'r gwir rhagddo pan yw ef yn gofyn ble mae Judy, a hithau'n dweud celwydd er mwyn peidio â'i siomi na'i ofidio. Er cymaint ei hawydd i edliw mai hi oedd yn iawn ynghylch Judy, yr oedd cael Jac i wella'n bwysicach iddi (gw. tt. 169-70). Fe welir yn y fan hon fod Martha a Jac bellach yn deall ei gilydd am eu bod ill dau wedi eu rhwymo wrth yr un dynged a gafodd ei mowldio gan Mami.

Pan yw Jac yn wael teimla Martha'n fwy unig nag erioed o'r blaen gan mai ar ei hysgwyddau hi bellach y gorwedd y cyfrifoldeb am wneud yr holl benderfyniadau ynghylch dyfodol y fferm. Yr eironi mawr yw fod y gwenwyn a ddefnyddir ganddi i geisio difa'r frân ddu wedi'i ddefnyddio i ladd Jac a Sianco yn y diwedd. Wedi marw ei brodyr, hi yn unig sydd ar ôl. Mae fel Heledd heb Gynddylan ac fel Branwen heb Fendigeidfran. Does dim dewis gan Martha ond cyflawni hunanladdiad; dyna'r diweddglo anorfod gan nad oedd dim dyfodol na dilyniant i deulu'r Graig-ddu. Yn union fel Heledd yng Nghanu Heledd, gwelodd Martha fywyd y cartref a fu mor annwyl ganddi yn cael ei ddryllio damaid wrth damaid nes nad oedd neb ar ôl ond hi. Ystyriwch deimladau Martha wrth iddi orfod wynebu argyfwng y teulu ar ei phen ei hun bach:

Teimlai fel pe bai popeth yn glanio yn ei chôl ac yn llithro o'i gafael ar yr un pryd. (t. 171)

**3.2 Jac**

Cymeriad amrwd, brwnt ei dafod, drwg ei hwyl a byr ei dymer, garw ei foesau, anghwrtais, caled a dideimlad, ac ymddangosiadol hunanol. Ef yw'r plentyn hynaf ac oherwydd hynny mae'n dal dig at Mami am beidio â rhannu'r etifeddiaeth a rhoi iddo ef yr hyn y mae'n ei gredu sy'n ddyledus iddo. Wrth siarad am Mami, dywed hyn:

> "Wel, lot o help o'dd honno! Se hi 'di neud y peth iawn fydde dim un ohonon ni yn y cachu 'ma." ( t. 25)

Gwêl fai arni am beidio â rhannu'r etifeddiaeth yn briodol yn ei hewyllys, a gadael y ffa iddo ef fel y plentyn hynaf. Rhaid cofio hefyd i Jac, flynyddoedd ynghynt, gael cyfle i briodi Gwen y nyrs ond i Mami ei rwystro. Digon posibl nad oedd wedi maddau iddi am hynny. Ond yn awr fod Mami wedi marw, nid oedd am gael Martha'n dweud wrtho na châi gynnal perthynas â Judy. Mae'n sicr yn gymeriad sy'n credu iddo gael cam am na throsglwyddwyd y ffa iddo ef, ond mae lle inni gydymdeimlo â'i sefyllfa hefyd gan mai ef yw'r un sy'n dweud y caswir wrth ei chwaer am eu sefyllfa:

> "Sdim byd i ga'l 'ma Martha. Ma pethe wedi bennu. 'Yn ni i gyd wedi bennu." (t. 47)

Gwelwn ei ochr fygythiol ac ymosodol yn aml, a'r enghraifft fwyaf cofiadwy yw pan ffrwydrodd ar ôl gweld Sianco yn ei wylio ef a Judy'n caru yn y llaethdy gan anelu gwn at ben ei frawd diniwed (tt. 112-14). Collodd ei limpyn yn lân. Mae cyfeiriad yn y nofel at y rhybudd a dderbyniodd gan ei feddyg i gymryd gofal a rheoli'i dymer (t. 10), a synhwyrir ei fod yn dioddef o bwysau gwaed uchel. Cyfeirir hefyd mewn un man at ei galon yn curo'n boenus yn ei frest pan fo'n dadlau â'i chwaer (gw. t. 49).

Ceir awgrym cynnil mewn un man ei fod yn dipyn o fwli ac iddo roi cweir i Sianco am saethu'r heffer. Cyfeirir at glais ar wyneb Sianco yn y drydedd bennod pan ddaw Gwynfor i'r tŷ am swper (t. 15). Yn wir, ymosododd yn giaidd ar Sianco ar achlysur arall am i hwnnw fentro galw Judy yn 'bitsh' (tt. 72-3). Nid oes gan Jac gymaint o barch at y gorffennol ag sydd gan Martha. Yn wir, mae'n amharchus iawn o'i rieni, ac ni wyddys ai oherwydd gwir atgasedd tuag atynt y mae hynny ynteu ai oherwydd ei awydd i frifo teimladau Martha. Ystyrier y darn canlynol o sgwrs rhwng y ddau. Er iddo ffromi wrth glywed Sianco'n sarhau Judy, nid oes arno gywilydd sarhau Mami, fe ymddengys:

> "Nath yr hen bitsh 'yn bennu ni i gyd."
> "Paid byth â..."
> "Clymodd hi'n penne ni i gyd yn sownd wrth y lle ma, Martha. O'dd hi'n gwbod yn iawn

beth o'dd hi'n neud! Bydde Dat wedi troi yn ei fedd."

"Peth od boch chi'n cofio'u bod nhw wedi marw! Chi byth yn siarad amdanyn nhw!"

"I beth? Beth chi ise fi weud? Beth chi ise fi neud? Mynd i weld'u bedde nhw? Esgus mod i'n galaru ar ôl y diawled?" (tt. 48-9)

Arwydd arall o'i ddiffyg parch at y gorffennol ac at yr etifeddiaeth yw'r cyfeiriad cynnil wrth fynd heibio at ei barodrwydd i werthu'r llestri crand oddi ar y ddresel i ryw Wyddelod un tro ac iddo bron â gwerthu'r ddresel ei hun (gw. t. 15).

Er gwaetha'r portread o Jac fel dyn annymunol ac anystyriol, mae modd gweld gwedd arall arno sy'n peri inni gydymdeimlo â'i sefyllfa fel nad yw'n darlun ohono yn gwbl unllygeidiog. Fe gawn gip ar ei deimladau a deall ei rwystredigaeth. Nid oedd erioed wedi cael rhyddid i wneud fel y mynnai, ac yn awr yr oedd yn canlyn â Judy gallai gael rhywfaint o hwyl a mwynhad cyn iddo fynd yn rhy hen. Sylwch ar ddiwedd pennod 13 lle mae'n edrych ymlaen am gael mynd i aros at Judy i'r tŷ cyngor (tt. 60-1). Rhan o apêl mynd yno oedd ei fod yn gallu gadael y fferm a theimlo fel dyn arall. Bron nad yw'n cael pleser wrth gefnu ar y Graig-ddu sydd fel maen melin am ei wddf. A phan yw'r cerbyd 4x4 newydd sbon danlli'n cyrraedd buarth y fferm am y tro cyntaf, a Martha'n gwaredu at y fath wario ofer, mae Jac yn dweud ychydig o wirioneddau wrth ei chwaer. Yr oedd yn teimlo ei fod yn haeddu ychydig o gysur ac yntau bellach ar ei bensiwn ac wedi gweithio'n galed ar hyd ei oes. Barn Martha oedd fod rheitiach pethau i wario arian arnynt a bod mwy o alw am dacluso'r parlwr godro a phrynu tractor newydd. Mae ateb Jac yn dangos yn glir beth oedd ei flaenoriaethau ef:

"I beth, Martha, ma angen newid pethe fel'na? I beth? Fydd dim un ohonon ni 'ma'n hir eniwe, man a man enjoio weda i." (t. 81)

Er bod y ddau yn mynd ben-ben â'i gilydd o achos perthynas Jac â Judy, fe welir yn eglur iawn cyn diwedd y nofel fel y mae gwaed yn dewach na dŵr. Neillituir pennod 22 yn llwyr i esbonio rhywfaint ar gefndir carwriaethol Jac a chaniatáu inni ddeall ei gymhellion yn well, ac mae'r bennod hon, fel pennod 4, yn rhoi inni gip ar y cymundeb rhyngddo a'i gi defaid, Roy. Fel llawer o gymeriadau cig a gwaed y cyfarfyddwn â nhw yn ein bywydau, mae Jac ymhell o fod yn gymeriad unffurf ac ymhell o fod yn ddrwg i gyd.

### 3.3 Sianco

Er ei fod dros ei hanner cant oed, meddwl plentyn bach sydd ganddo. Yn hyn o beth y mae'n ein hatgoffa o'r cymeriad Rob yn nofel John Gwilym Jones, *Tri Diwrnod ac Angladd* (1979), lle darlunnir ei berthynas ef â'i frawd hŷn, Elwyn. Mae anwyldeb mawr yma yn y portread o Sianco wrth inni ei weld yn rhoi lloches i Bob y terier o dan ei siwmper, a Martha famol a chariadus yn gofalu amdano ac yn achub ei gam bob gafael. Gan nad yw Sianco yn llawn llathen, teimla Martha bod yn rhaid meddwl am ei ddyfodol a'i les ef hefyd.

Mae Sianco'n dyst i sawl digwyddiad arwyddocaol wrth iddo stelcian o gwmpas y lle yn dilyn pobl, yn gwylio ac yn sylwi. Er gwaethaf ei atal dweud a'i allu cyfyngedig i gyfathrebu â phobl eraill, y mae'n deall mwy nag yr oedd neb yn ei sylweddoli. Ef yw'r tyst hollbresennol wrth iddo edrych i mewn drwy ffenestr y parlwr pan oedd Gwynfor a Martha yn trafod, ac yn gwylio Gwynfor wedyn yn gadael yn ei gar i fyny'r lôn (t. 19). Ef a guddiodd y llyfrau cyfrifon banc fel petai wedi synhwyro fod Judy am gael ei dwylo arnynt (t. 98). Yr oedd yn clywed y sgwrsio a oedd yn mynd ymlaen ac yn dawel bach yn ei ffordd ei hun yn dehongli'r cyfan. Ac ar y nos Nadolig pan aeth Martha i osod torch ar fedd Dat a Mami, fe gredai hi fod Sianco yn y tŷ, ond ar ddiwedd y bennod fe welir ei fod wedi ei dilyn ac yn gwylio pob cam o'i symudiadau (t. 45).

Cymeriad hoffus llawn diniweidrwydd a thipyn o ddireidi yn perthyn iddo yw Sianco. Mae yn ei fyd bach ei hun yn aml, a'r unig un sy'n ei ddeall yn iawn yw Martha. Caiff ei gam-drin gan ei frawd mawr, a hynny am nad oes gan Jac fawr o amynedd na chydymdeimlad ag ef am ei fod mor annibynadwy. Ar yr olwg gyntaf, felly, cymeriad goddefol ydyw. Erbyn diwedd y nofel, fodd bynnag, gwelwn ei fod yn gymeriad llawer mwy gweithredol, gan mai ei weithred ef sy'n prysuro tranc y teulu. Mae lle i gredu nad gweithred ddifeddwl nac anghyfrifol un a chanddo feddwl plentyn yw hi, ond gweithred o drugaredd at Martha ar ôl iddo'i gweld trwy ffenest y gegin yn crio pan oedd hi'n edrych ar ôl Jac yn ei waeledd (t. 180-1). Mae rhywfaint o gyfatebiaeth eto rhwng Sianco a chymeriad Rob yn *Tri Diwrnod ac Angladd*, gan ei fod yntau yn defnyddio Strychnine i wenwyno ei lysfam wael sy'n marw o gancr ac sy'n awyddus i ysgaru â'i gŵr.

### 3.4 Judy

Dyma'r *femme fatale*, sef y ferch ddeniadol ond beryglus sy'n cyrraedd fel huddygl i botes ac yn cael yr un effaith â hebog ymysg colomennod. Er y gellid dweud bod yma elfen o stereoteipio yn ei chymeriad, y mae'n gyfrwng i herio sefydlogrwydd aelwyd y Graig-ddu mewn modd dramatig drwy herio gwerthoedd teuluol Martha gan fygwth ei disodli fel gwraig y tŷ. Sylwer ar yr hyn a ddywed am ei hawydd i gadw ceffylau, ac ar ei hawgrym fod ei phlant yn mwynhau'r awyr agored ac y byddent yn hoffi byw yn y Graig-ddu (gw. t. 39). Fel estrones, ceir yr argraff ei bod yn tresmasu ac yn cyflwyno gwerthoedd cwbl ddieithr i'r aelwyd. Mae ei hiaith, ei harferion, ei moesau a'i chefndir yn gwbl estron. Rhaid dal sylw ar y cyferbyniad amlwg rhwng y math o fwyd a baratoir gan y naill wraig a'r llall. Bwyd ffer traddodiadol, sef tatws, cig a grefi, a tharten fwyar duon i bwdin a weinir gan Martha pan yw'n paratoi swper i Judy (gw. tt. 23-5), ond *Spaghetti Bolognaise* a baratôdd Judy yn absenoldeb Martha (gw. t. 30).

 Hyd nes y datgelir ei thwyll a'i hystryw, bron nad ydym yn gallu cydymdeimlo rhywfaint â Judy. Pe bai Martha wedi rhoi derbyniad mwy croesawgar iddi efallai y gallent fod wedi datblygu cyfeillgarwch, a byddai ei phresenoldeb wedi gallu bywiogi tipyn ar fywyd yn y Graig-ddu. Ond doedd hynny ddim i fod. Ym mhennod 20, lle mae'r llyfrau banc yn diflannu a hithau dan amheuaeth gan Martha a Jac, y mae cydymdeimlad y darllenydd â Judy am fod diflaniad y llyfrau'n brawf ar ei honestrwydd a hithau'n cael ei chamgyhuddo. Yr adeg honno mae drwgdybiaeth Jac ohoni yn ei brifo – "*And you think I'm a thieving little slapper, do you?*" gofynnodd iddo'n siarp. Ond fel y mae pethau'n datblygu tua'r diwedd, cawn weld mai dyna'n union yw hi. Rhybuddiwyd Martha amdani gan Emyr Siop, a hynny mewn ffordd drosiadol dra chofiadwy:

> "Watshwch hi, na i gyd ... rhag ofan, on'tefe" ... "Rhag ofan taw wedi lico'r twlc ma hi, a
> dim y mochyn." (tt. 84-5)

Gwireddwyd yr ofnau gwaethaf amdani pan drawyd Jac yn wael oherwydd nad aeth i'w weld cymaint ag unwaith yn yr ysbyty. Yn y bôn yr oedd yn ferch dwyllodrus gwbl ddiegwyddor, a daw hyn yn amlwg iawn wrth iddi orfodi Martha i dalu hanner canpunt am gael dychwelyd modrwy Mami cyn diflannu yn ei hôl i Leeds.

### 3.5 Mami a Dat

Er bod rhieni Martha, Jac a Sianco wedi eu claddu ym mynwent yr eglwys, y mae eu dylanwad yn drwm ar aelwyd y Graig-ddu. Bron na ellir dweud bod Mami yn enwedig yn gymeriad hollbresennol yn y nofel am fod ei dylanwad yn dal i fwrw cysgod dros fywydau'r tri phlentyn. Ystyriwch faint o weithiau y cyfeirir ati yng nghwrs y nofel, naill ai mewn sgwrs rhwng y cymeriadau neu ym myfyrdod Martha. Crybwyllir ei henw gymaint â 44 o weithiau o leiaf. Gellir dweud mai'r hyn sydd gennym yma yw matriarchaeth, sef dylanwad a phresenoldeb y fam. Gwelsom eisoes fel yr oedd Jac yn gweld bai arni ac yn priodoli amgylchiadau presennol y teulu i'w dylanwad hi. Nid afresymol sôn am felltith Mami mewn gwirionedd, gan mai hi a rwystrodd Jac rhag priodi Gwen, ac mae ei dylanwad hirbarhaol hi hefyd yn un o'r pethau sy'n rhwystro Martha rhag derbyn cynnig Gwynfor. O hyd ac o hyd fe geir Martha'n cofio am rai o'r pethau a ddywedodd Mami, ac yng nghyswllt yr holl wenwyno sy'n digwydd y mae'r atgof am ei geiriau yn gwbl arwyddocaol. Fe welwn mai geiriau Mami a ddaw i gof Martha pan yw'n ceisio gwneud synnwyr o ymweliad y frân yn curo ar y ffenestr gefn trymedd nos:

> Roedd Mami wastad yn gweud y bydde rhywun yn marw yn y tŷ pan fyddai aderyn yn
> ceisio dod i mewn. (t. 78)

Dyma atgof am eiriau Mami yn rhagarwydd o farwolaeth. Pan glywn sôn gyntaf am y Strychnine yn y storws, sylwa Martha ar hen oasis blodau mewn plastig yn sillafu enw 'Mami', sef yr hyn a ddaliai'r blodau ar ddiwrnod ei chladdu (t. 88). Yr oedd hen bethau llychlyd y gorffennol yn cael eu llusgo allan drachefn i geisio rhoi terfyn unwaith ac am byth ar y grym dirgel a bygythiol. Wrth ddymuno cael sicrwydd fod y frân ddu wedi cael ei gwenwyno, fe glyw Martha eiriau rhybuddiol Mami yn canu yn ei phen:

> "Watsha di'r stwff 'na ... ma fe'n lladd saith gwaith, cofia, saith gwaith." (t. 93)

Pan ganfuwyd corff y llwynog yng ngwaelod yr ardd, adlais o rybudd Mami a ddaw i feddwl Martha drachefn (t. 102). Ac yn y bennod olaf un, wrth restru'r chwe pheth a wenwynwyd, daw rhybudd Mami i'w phrocio eto ynghylch y lladd saith gwaith wrth i'r bygythiad droi'n realiti (gw. t. 190).

### 3.6 Gwynfor

Y pwysicaf o gymeriadau ymylol y nofel yw Gwynfor, y cariad gwrthodedig, gan mai ef sylwer, ar wahân i Judy, yw'r unig gymeriad o'r tu allan sy'n cael gwahoddiad i barlwr y Graig-ddu. Colli amynedd a wnaeth yn y diwedd a bachu dynes arall ar ôl cael ei wrthod gan Martha wedi carwriaeth a barhaodd am ugain mlynedd (gw. t. 16). Cafodd ei frifo i'r byw ganddi am iddi amau diffuantrwydd ei gymhellion, a thybio iddo dderbyn cildwrn gan Jac fel rhan o gynllwyn i'w chael hi i adael y Graig-ddu (gw. t. 54). Pan yw'r piano a brynodd Gwynfor ar gyfer Martha yn cael ei ddanfon i'r Graig-ddu, dyna arwydd ei fod wedi rhoi'r gorau i obeithio y derbyniai Martha ei gynnig. Ond pan yw'r ddau yn cyfarfod yn y caffi ar ôl i Jac gael ei daro'n wael, yr ydym yn synhwyro fod ganddo deimladau tuag at Martha o hyd, er ei fod erbyn hynny wedi priodi (gw. t. 179).

### 3.7 Wil Tyddyn Gwyn

Ar y cyrion y mae Wil Tyddyn Gwyn, y cymydog ymddangosiadol ddi-hid. Rhyw berthynas led braich sydd ganddo â theulu'r Graig-ddu, er nad oedd neb arall o'r cymdogion y gallai Martha droi atynt am gymorth yn ei hargyfwng ond Wil. Ym mhennod 32 y cawn wybod mai ef oedd tad y babi a gladdwyd dan y dderwen, a'r awgrym cynnil yw iddo ei orfodi ei hun ar Martha, yn ôl yr hyn a ddywed hi wrth Sianco:

"O'dd hi'n rhy gynnar. Do'n i ddim ise neud dim byd 'da Wil, ond ches i ddim dewis." (t. 174)

Rhoddodd Wil fenthyg ei hen Land Rover i Martha am ei bod hi'n ddigerbyd wedi i Judy fynd â'r 4x4, ond credai Martha mai haelioni cymdogol byr ei barhad fyddai hwnnw (gw. t. 167).

### 3.8 Cymeriadau eraill

Ymylol yw'r dyrnaid o gymeriadau eraill y nofel. Elwyn Siop a'i garedigrwydd cywir. John Penbanc a'i fab corffol, sy'n dod i gneifio unwaith y flwyddyn ac yn dod â newyddion am hwn a'r llall gyda nhw, a'r gwerthwr pysgod lliwgar, Sam Fish, sy'n ymwelydd achlysurol. Yr unig gymeriad arall o ryw arwyddocâd yw Gwen, cyn-gariad Jac sydd, trwy gyd-ddigwyddiad annisgwyl, yn cael cyfle i ofalu amdano yn yr ysbyty.

# 4. Rhai Themâu

### 4.1 Y gymdeithas wledig

Mae dirywiad y gymdeithas wledig yn thema amlwg. Mae teulu'r Graig-ddu fel petaent yn byw ar gyrion y gymdeithas ac, o ganlyniad, yn ynysig, ond nid o reidrwydd o fwriad. Fe sylwir cyn lleied o gymdogion sydd ganddynt am eu bod yn byw mewn lle anghysbell. Canfyddiad rhai pobl yw fod teulu'r Graig-ddu wedi ymbellhau oddi wrth weddill y gymdeithas yn fwriadol. Mae sgwrs y ddwy wraig yng Nghaffi Eurwen yn awgrymu fod pobl yn cael yr argraff fod y teulu'n od ac yn peidio â gwneud dim â neb o ddewis (gw. t. 177). Cyfyng yw cylch adnabod y teulu. Prin yw'r cymdogion y gallant alw arnynt am eu gwasanaeth a'u cymorth pan fo argyfwng. Sylwer mai Wil Tyddyn Gwyn yw'r unig un y gellir dibynnu arno i helpu gyda'r godro pan aiff Jac i'r ysbyty yn yr ambiwlans, er iddo yntau fethu â dod i edrych am Jac wedi iddo adael yr ysbyty hefyd.

Y mae'n rhyfedd ac yn annisgwyl fod Martha'n mynd i roi'r dorch neu'r rith ar fedd Mami yn llechwraidd heb i neb ei gweld (t. 43). Mae'n amlwg nad oedd yn mynychu'r eglwys, er mai ym mynwent yr eglwys y claddwyd aelodau'r teulu. Sylwir hefyd nad oes gan Martha ddim un ffrind ar wahân i Gwynfor. Pan yw'n mynd i'r dref i siopa nid yw'n cyfarfod â'r un ffrind i fynd am baned yn y caffi, er enghraifft. Yr oedd cael John Penbanc a'i fab draw i gneifio'r defaid yn rhoi cyfle i Martha, Jac a Sianco gael dal i fyny â'r newyddion, a dywedir wrthym nad oeddent byth yn mynd i unman nac yn cymdeithasu â neb (t. 120). Yn wahanol i fel yr oedd pethau ar un adeg, does neb bellach yn dod i'w helpu i gario gwair (gw. t. 134). Fe welir yn eglur iawn mor gyfyng oedd cylch eu hadnabod pan drewir Jac yn sâl, oherwydd doedd gan Martha neb i droi ato am gymorth ond eu cymydog Wil Tyddyn Gwyn. Fel rheol, mewn unrhyw gymdeithas amaethyddol glòs bydd cymdogion a chydnabod yn dod at ei gilydd i gynnig cymorth, a bydd pobl yn falch o wneud cymwynas. Efallai ei bod yn rhan o fwriad y nofel hon ddarlunio fel y mae bywyd cefn gwlad wedi dirywio yn hynny o beth, ac fel y mae pobl wedi dieithrio. Y digwyddiad sy'n gyrru'r neges adref inni pa mor amddifad o gyfeillion a chydnabod yw teulu'r Graig-ddu bellach yw angladd Jac a Sianco ym mhennod 35. Dim ond Emyr Siop a Martha a'r ficer a oedd yno. Nid oedd dim teulu estynedig na chyfeillion na chydnabod i gludo'r eirch, ac ni fagodd Wil Tyddyn Gwyn ddigon o blwc i fynd i gydymdeimlo â Martha heb sôn am fynd i'r angladd ei hun (gw. t. 187). Wrth i Martha hel atgofion am angladd Dat, ac am angladd Mami ymhen rhai blynyddoedd wedyn, cawn olwg ar y dirywiad cymdeithasol graddol a ddigwyddodd dros y blynyddoedd. Pan ddaw'n adeg y cynhaeaf gwair, sylwir hefyd nad oes neb yn dod i helpu fel yn y gorffennol, am fod pawb o'u cydnabod yn heneiddio (gw. t. 134).

Mae pwyslais amlwg ar hel clecs ac ar beth mae pobl yn ei ddweud a'i feddwl. Ond gan fod y teulu'n gaeth i fywyd y fferm laeth, ac efallai heb gael cyfle i gymdeithasu, rhoir yr argraff fod ffawd wedi pennu eu tynged, sef bod yn rhwym wrth y lle hyd y diwedd. Maent yn gaeth i batrwm gwaith dyddiol a thymhorol y fferm. Darlunnir ffordd o fyw sy'n prysur ddiflannu.

Ond rhwng y paragraffau ceir cip ar y gymdeithas yn ehangach. Mae Jac bellach yn hawlio arian y wlad am fod ganddo gefn drwg, ac yn edliw wrth Martha fod llawer o bobl yn byw ar y wlad ac yn llwyddo i odro'r wladwriaeth les. Mae ymweliad y dynion ambiwlans hefyd yn arwydd o'r amserau, gan mai Saeson ydynt (gw. t. 153 a t. 156). Yma yn y cefndir y mae dirywiad a thranc y gymdeithas amaethyddol, gan fod John Penbanc yn sôn am un ffermwr mewn oed sy'n mynd i orfod rhoi'r gorau i odro am fod ei fab wedi mudo i Awstralia (tt. 119-20). Pytiau o wybodaeth yw'r rhain sy'n rhoi cyfle inni weld cyflwr y gymdeithas wledig.

### 4.2 Gafael y Graig-ddu

Lleolir y fferm rhwng y pentref a phen y cwm. Mae'r eglwys a'i mynwent yn edrych dros y fferm, ac nid yw hynny heb ei arwyddocâd. Golwg henffasiwn sydd ar y tŷ a'r adeiladau, a hen beiriannau sydd yno. Mae angen tractor newydd ac mae'r car sydd ganddynt i redeg yn ôl a blaen o'r dref yn hen groc. Mae'r parlwr godro'n hen am nad oedd dim buddsoddi wedi bod, a hynny am nad oedd dim cymhelliad i wneud am nad oedd gan Jac etifedd, ac am na fedrodd gael llwyr feddiant ar y fferm a'r busnes. Er gwaethaf hynny, mae i'r fferm afael ryfedd ar y cymeriadau, ac ar Martha yn fwy na neb.

Ar ôl cyrraedd diwedd y nofel down i sylweddoli arwyddocâd ambell ddigwyddiad nad oeddem wedi dal sylw arno pan ddarllenem amdano ar y pryd. Un peth yr ydym yn dal sylw arno yw'r cyfeiriadau at y gwanwyn, at blannu, ac at hau a medi. Mae cydberthynas drosiadol rhwng hynny a digwyddiadau'r nofel: mae Sianco'n cynnig bylbiau lili wen fach i Martha erbyn y gwanwyn, ac mae Martha ei hun yn adrodd hen bennill am hau had ym mhennod 10, ac yn cysylltu hynny â Chae Marged. Ond yr eironi yw mai yng Nghae Marged y claddwyd y plentyn a allasai fod wedi bod yn etifedd y teulu. O dipyn i beth y down i wybod am bwysigrwydd Cae Marged, ac am gyfrinach Martha. Er na ddywedir hynny yn unman yn y nofel, mae rhywun yn dyfalu mai'r enw a roddwyd ar y cae gan Martha ei hun yw hwn er cof am ei baban.

Wrth i Martha fynd i osod yr ail rith heb ruban arni wrth glawdd uchaf Cae Marged y daw'r awgrym cyntaf fod arwyddocâd i'r safle hwnnw, er nad yw'n glir i'r darllenydd yn y fan hon beth oedd yn y cefndir (gw. tt. 44-5). Ceir awgrym cynnil ychydig yn nes ymlaen ar dudalennau 49-50 fod Jac yn gwybod am ei chyfrinach, ac ym mhennod 13 pan oedd Jac yn aredig Cae Marged ac yn nesáu at y clawdd o dan y dderwen fawr caiff Martha bwl o benysgafnder. Ar ddiwedd y bennod honno hefyd ceir awgrym arall fod Jac yn gwybod y gyfrinach. Ond ni ddaw arwyddocâd llawn y cae yn amlwg i'r darllenydd hyd nes y datgela Martha ei chyfrinach wrth Sianco ar dudalennau 173-4. Dyna pryd y cawn wybod fod Jac a Sianco ill dau wedi cadw'r gyfrinach ar hyd y blynyddoedd yn ddiarwybod i Martha.

### 4.3 Clymau teuluol ac etifeddol

Mae gafael y gorffennol ar bobl yn sgil clymau teuluol ac etifeddiaeth deuluol yn thema a gyfyd ei phen wrth ystyried amgylchiadau teulu'r Graig-ddu. Yn achos Martha, yr argraff a geir yw iddi ddewis aberthu ei hapusrwydd a'i rhyddid ei hun er mwyn ei theulu, neu er mwyn bodloni dymuniadau Mami. Dyna mae'n amlwg oedd ei dewis hi, ond y cwestiwn sy'n codi yw hwn: i ba raddau y mae'n foesol deg ddisgwyl i unigolyn aberthu hapusrwydd a rhyddid personol er mwyn parchu dymuniad rhywun arall? Byddai llawer yn cytuno ei bod yn beth iach a derbyniol inni barchu'r gorffennol, a cheisio coleddu rhai o werthoedd y gorffennol a etifeddwyd gennym, ond pan fo'r parch hwnnw'n troi'n ddyletswydd caeth a all ein llesteirio, mae'n bryd ymryddhau oddi wrtho. Math o etifeddiaeth dynghedus sy'n gormesu a welir yn y Graig-ddu, ac yn hytrach na gwrthryfela yn erbyn yr etifeddiaeth honno neu ei dibrisio a'i hamharchu fel y gwna Jac, yr hyn y mae Martha yn ei wneud yw gadael iddi reoli ei bywyd i'r fath fodd fel ei bod yn troi'n rym hunanddinistriol.

Parcha Martha ddymuniadau Mami yn fwy nag y gwna Jac. Ai oherwydd ei bod yn ferch y gwna hynny, tybed? Mae Martha'n llawer mwy hydeiml na'i brawd yn sicr, ac yn hynny o beth cawn ein hatgoffa am gymeriadau benywaidd trasig yn ein llenyddiaeth, sef Heledd a Branwen, sydd, yn eu ffyrdd eu hunain, yn dioddef oherwydd eu brodyr. Caiff Branwen ei chosbi gan y Gwyddelod er mwyn dial am weithred dreisgar ei hanner brawd Efnisien, ac mae Heledd yn gorfod chwilio am gorff ei brawd ar faes y gad er mwyn ei gladdu. Mynd yn orffwyll a wna hi yn y diwedd wrth weld ei chartref a'i theulu ar chwâl. Gellid dadlau, wrth gwrs, mai oherwydd grymoedd dinistriol o'r tu allan y drylliwyd bywyd Heledd. Mae hynny'n eithaf gwir. Yn y nofel hon, mae modd ymdeimlo â'r bygythiadau o'r tu allan, oes, ond yr hyn sy'n arwain at ddinistr y teulu yw'r etifeddiaeth ei hun a'u hymlyniad hwy wrthi. Gwarchodir a choleddir bywyd y gorffennol yn ormodol nes ei fod yn y pen draw yn eu caethiwo. O'r tu mewn iddo'i hun y daw'r bygythiad mwyaf i deulu'r Graig-ddu.

### 4.4 Gwaed y dewach na dŵr

Pan sylweddolir beth sydd wrth wraidd ymlyniad emosiynol dirdynnol Martha wrth y Graig-ddu, sef bod ei phlentyn wedi ei gladdu yng Nghae Marged, gellir deall pam ei bod mor amharod i droi ei chefn ar y gorffennol a gollwng ei gafael arno gan gychwyn bywyd newydd ar aelwyd arall. Pan yw'n agor ei chalon i Sianco tua diwedd y nofel, ac yn sôn wrtho am y baban a gladdwyd o dan y dderwen, daw'r cyfaddefiad hwn o enau Martha:

> "'Da Gwynfor ddylen i fod 'di ca'l babi, ti'n gweld. Ond allen i byth adel Graig-ddu a'i adel e fan hyn, allen i?" (t. 174)

Yr oedd ei hetifedd hi ym mhridd y fferm.

Wrth ystyried perthynas pobl â'i gilydd, yr hyn sydd yn ein taro ni amlycaf ynghylch y nofel yw'r gwrthdaro a'r tensiwn a grëir gan amgylchiadau. Dyna inni'r tensiwn amlwg a chas ar brydiau rhwng Martha a Jac, tensiwn sy'n cael ei borthi gan rwystredigaeth yn fwy na dim: rhwystredigaeth Jac am nad yw Martha'n fodlon derbyn cynnig Gwynfor i'w briodi, a fyddai'n golygu y byddai Judy wedyn yn rhydd i allu symud ato ef i fyw; a rhwystredigaeth Martha am fod Jac yn gymaint dan ddylanwad Judy ac yn anystyriol o sefyllfa a buddiannau Sianco.

Mae'n werth craffu ar y ffordd y mae'r cymeriadau'n cyfarch ei gilydd gan fod hynny'n awgrymu natur y berthynas rhyngddynt. 'Chi' y mae Martha a Gwynfor yn galw ei gilydd, ac mae hynny'n cyfleu agwedd henffasiwn rhwng dau a fu'n gariadon am ugain mlynedd. 'Ti' y mae Martha a Jac yn galw Sianco, sy'n awgrymu agosrwydd perthynas, ond 'ti' y mae Gwynfor yn ei alw hefyd, a hynny oherwydd ei fod yn fwy fel plentyn nag oedolyn cydradd. Er bod Jac a Martha yn oedolion cydradd ac yn frawd a chwaer, 'chi' y galwant ei gilydd, ar wahân i'r un tro hwnnw pan drodd Jac i alw Martha yn 'ti' yn gwbl annisgwyl wrth i'r ddau ddal pen rheswm â'i gilydd ar dudalen 50. Yn y sgwrs rhyngddynt yn y fan honno, mae modd synhwyro fod Jac yn cydymdeimlo â Martha ac yn deall pam yr oedd mor gyndyn o adael y Graig-ddu. Cyffyrdda â rhyw nerf drwy hanner awgrymu'n gynnil wrthi ei fod yn gwybod ei chyfrinach. Mae ei hymateb hithau'n arwyddocaol:

> Teimlodd Martha holl fygythiad y '*ti*' ym mêr ei hesgyrn. Stopiodd symud ac arhosodd fel petai hi wedi rhewi yng ngwres y fflame. Roedd ei llygaid yn gwibio'n ôl ac ymlaen rhwng y tân a llygaid Jac.
> "Chewch *chi* mo 'ngwared i mor hawdd â 'na, Jac"
> Pwysleisiodd Martha'r '*chi*'. (t. 50)

Roedd defnyddio'r 'chi' yn amddiffynfa iddi rhag i'r 'ti' dreiddio i'w theimladau personol dyfnaf.

Er gwaethaf y bwlch cynyddol sy'n datblygu rhwng y brawd a'r chwaer yn sgil y garwriaeth â Judy, ac er gwaethaf diffyg parch Jac at Martha a Sianco a Mami a Dat, a'i ddifaterwch cynyddol ynghylch y fferm, y mae Martha'n ysgwyddo'r baich o edrych ar ei ôl yn raslon ac ufudd pan yw'n cael ei daro'n wael. Roedd y cwlwm a'u clymai at ei gilydd yn gryfach na'r gwahaniaethau barn a greai'r fath anniddigrwydd rhyngddynt. Yr oedd gwaed yn dewach na dŵr wedi'r cyfan.

### 4.5 Elfennau sinistr a bygythiol

Mae cysgod angau yn drwm ar y stori, ac mae lleoliad y fferm islaw'r fynwent yn arwyddocaol. Mae cymaint o sôn yma am anifeiliaid yn trigo neu'n cael eu lladd: yr anner yn sugno ei theth ei hun nes tynnu gwaed ac yna'n cael ei saethu gan Sianco nes ei bod yn gorwedd ar y buarth yn gelain gorff a'r gwartheg eraill yn ei baeddu wrth gamu drosti ar eu ffordd i gael eu godro; Bob y ci yn lladd y cathod bach fel y gwnâi bob tro, y sôn am Sianco un tro'n gwthio pryfed cop i lawr corn gyddfau'r tyrcwn er mwyn eu gwella, a'r disgrifiad o'r driniaeth a gafodd yr oen blwydd a oedd wedi cynrhoni. Digwyddiadau digon annymunol bob un, ac eto'r math o greulonder ac egrwch sy'n gyfarwydd i bobl sy'n byw ar fferm.

Mae ofnau'n llercian yn y cefndir hefyd wrth i'r sŵn curo ar y ffenestri aflonyddu ar Martha a Sianco yn y nos, ac mae drwgdybiaeth Martha o Judy yn peri iddi ofni colli pethau o'r tŷ (t. 77). Aiff y llo newydd-anedig ar goll am gyfnod nes rhoi'r argraff inni fod rhyw bwerau dirgel ar waith. Ac mae lle amlwg hefyd i'r brain sy'n crynhoi fel cymylau bygythiol o bryd i'w gilydd (gw., er enghraifft, t. 110).

Gan fod Martha mor wrthwynebus i berthynas Jac â Judy, a chan fod y Saesnes yn gymeriad mor wrthnysig, mae modd canfod awgrymiadau cynnil fod Martha â'i bryd ar ddinistrio'r berthynas. Mewn tri lle yn benodol, caiff y darllenydd achos i synhwyro fod rhyw ddrwg ar ddyfod:

(i) Wrth iddi wylio haul y bore'n disgleirio tra mae Jac yn aredig, mae Martha'n sylwi ar yr haul 'yn dawnsio'n beryglus ar hyd cleddyfau'r arad' ac yn meddwl am Judy (t. 59). Beth arall yw hynny ond awgrym y byddai'n hoffi ei niweidio?

(ii) Ar ôl cael ei haflonyddu gan y sŵn yn nyfnder nos, ac amau efallai mai Jac a Judy sy'n ceisio'i dychryn er mwyn ei herlid o'r tŷ, mae Martha'n clywed sŵn llygoden yn crafu mewn cwdyn cêc ac yn dweud wrthi ei hun y byddai'n 'rhaid iddi gofio rhoi gwenwyn yno'. Yna daw'r frawddeg nesaf: 'Meddyliodd eto am Jac a Judy' (t. 64).

**(iii)** Ar ddechrau pennod 17 y mae Martha'n meddwl gyntaf am wenwyno'r gigfran er mwyn cael gwared arni. Erbyn diwedd pennod 18 gwyddom am ei bwriad i ddefnyddio cynnwys y botel Strychnine. Yn y bennod ddilynol, fe glywir gan Jac nad oedd Judy'n teimlo'n rhy dda. Dyna gyfle i'r darllenydd ddyfalu tybed ai gwenwyno Judy oedd bwriad Martha.

Effaith hyn oll, o'i gyplysu ag ymweliadau'r frân sy'n aflonyddu yn y nos, yw creu dirgelwch sy'n peri i'r darllenydd gredu fod rhywbeth sinistr yn siŵr o ddigwydd.

### 4.6 Agwedd at fywyd

Y mae fel petai amser wedi sefyll yn ei unfan yn y Graig-ddu, ond bod y blynyddoedd wedi dal i fyny â'r ddau frawd a'r chwaer. Heneiddio y maent er eu gwaethaf, ac fe ddysgir nad oes dim yn aros yn ddigyfnewid. Dengys y nofel fel y gall amgylchiadau glymu pobl wrth y tir ac wrth deulu ac etifeddiaeth. Rhaid parchu magwraeth ac etifeddiaeth a chlymau teuluol, mae'n wir, ond o dan rai amodau gall y pethau hyn fod yn gaethiwus. Caiff y ddau frawd a'r chwaer eu clymu wrth y fferm nid yn unig oherwydd mai yno y mae eu bywoliaeth, ond oherwydd mai yno y cawsant eu geni a'u magu. Yno hefyd y mae eu cartref. Mae ffermio'n ffordd o fyw sy'n rhan o'u cyfansoddiad. Tynghedwyd hwy i fyw a marw ar y fferm. Er gwaetha'r ffaith fod amaethyddiaeth dan bwysau a llawer o ffermydd bychain yn mynd yn aneconomaidd, mae pobl a anwyd ac a fagwyd ar fferm yn aml yn etifeddion llinach hir o amaethwyr a glymwyd wrth y tir am genedlaethau nes bod y cartref yn rhan o'u cymeriad fel nad yw'n hawdd ganddynt feddwl am werthu a symud i fyw.

Yn achos prif gymeriadau'r nofel hon, nid oedd parhad i fod gan mai hwy yw'r genhedlaeth olaf o'r teulu i ffermio'r Graig-ddu. Y mae'r tri yn ddi-blant. Fe allai pethau fod wedi bod yn bur wahanol, wrth reswm. Yr eironi creulon yw fod Gwen y nyrs, hen gariad Jac sy'n ei ymgeleddu yn yr ysbyty, wedi priodi a chael mab sydd â diddordeb mewn ffermio (t. 158). Mae Wil Tyddyn Gwyn, tad baban marw Martha, yn dal yn hen lanc, ond dychmygwch pa mor wahanol y gallasai pethau fod petasai hi a Wil wedi priodi a magu teulu. Ond nid felly y bu. Mae digwyddiadau olaf y nofel yn arwain at dranc anorfod llinach y Graig-ddu. Gall pobl reoli eu tynged i ryw raddau oherwydd fod ganddynt ewyllys rydd, ond ni waeth faint o ryddid a gânt i drefnu eu bywydau fel y mynnont na gweithredu yn ôl eu mympwy, rhaid ildio i dynged yn y diwedd a gollwng gafael ar y cyfan, a sylweddoli nad ni sy'n rheoli bywyd ond mai bywyd sy'n ein rheoli ni.

# 5. Cynllun y nofel

### 5.1 Fframwaith

Cyfres o benodau byrion episodig sy'n cynnal y stori, a'r cyfan yn digwydd o fewn cwmpas cyfnod o ryw flwyddyn. Digwyddiadau'r flwyddyn amaethyddol yw'r ffrâm sy'n dal y stori at ei gilydd. Sylwer fel y cawn ein tywys drwy'r flwyddyn honno gan weithgarwch tymhorol y fferm:

Penodau 1-10 – misoedd olaf y flwyddyn hyd at y Nadolig;

Penodau 11-22 – misoedd cyntaf y flwyddyn adeg aredig Cae Marged ac adeg wyna;

Penodau 23-26 – dechrau'r haf pan fo'r barlys wedi egino a phan yw'r wenoliaid yn cyrraedd, a phan yw'n adeg cneifio;

Penodau 27-31 – canol haf adeg y cynhaeaf gwair a'r cynhaeaf ŷd;

Penodau 32-35 – yr hydref a throthwy gaeaf arall hyd at ychydig cyn y Nadolig.

Rhythm gwaith y fferm a threigl y tymhorau sy'n rhannu amser yn y nofel, a sylwer fel na chyfeirir o gwbl at y misoedd ynddi.

### 5.2 Cyferbyniadau dramatig

Lleolwyd ambell bennod yn fwriadol mewn man strategol er mwyn cyfosod golygfeydd a chael cyferbyniad dramatig rhwng digwyddiadau. Dyfais a ddefnyddir yn fwriadol yw hon er mwyn creu llecynnau o fewn y nofel sy'n darlunio'r harmoni teuluol cyn dod â ni yn ôl yn chwap at yr anghytgord. Sylwer fel y mae pennod 4, lle disgrifir Jac yn hyfforddi'r ci defaid, yn cyfleu dedwyddwch tawel cyn y storm a ddaw yn y bennod ddilynol. Ystyriwch wedyn y cameos cynnes a theimladwy ym mhenodau 27 a 28, lle darlunnir y cyd-dynnu a'r cydlafurio brawdol rhwng y tri yn y cynhaeaf gwair, a lle darlunnir y picnic blynyddol lle mae Martha a Jac yn hel atgofion hoffus am Mami, sef y ddwy bennod sy'n rhagflaenu pennod 29 lle ceir chwalfa sydyn y strôc a gafodd Jac.

Defnyddir y dechneg hon o greu cyferbyniadau dramatig eu heffaith o fewn penodau unigol hefyd. Ystyrier pennod 23, lle mae golygfa hamddenol a thawel yn rhagflaenu digwyddiad stormus. Mae Martha'n sylwi ar y blodau sy'n y cloddiau ac yn edmygu arogl berlesmeiriol blodau'r eithin, ond yr eiliad nesaf mae sgrech ddychrynllyd yn torri ar y tawelwch:

> Yn sydyn rhewodd Martha a saethodd pinnau bach drwyddi i gyd. Roedd sŵn sgrechian fel lladd mochyn yn llenwi'r clôs. (t. 111)

Yr hyn sy'n dilyn yw'r olygfa frawychus honno pan yw Jac yn cynddeiriogi ac yn bygwth saethu Sianco.

Gwelir fel y gall y dechneg o greu naws gyferbyniol ddramatig o fewn un bennod ddigwydd o chwith, wrth i olygfa dawel a hamddenol ddilyn yn syth wrth gynffon golygfa stormus, fel ar dudalen 161 ym mhennod 30, pan yw Sianco'n dyrnu'r bwgan brain a'r bennod yn cloi gyda golygfa dangnefeddus o'r llo bach a fu ar goll yn sugno'i fam.

# 6. Arddull a chrefft

### 6.1 Naratif a deialog

Adroddir y naratif yn y trydydd person, ac un o nodweddion amlycaf arddull y nofel hon yw'r defnydd o dafodiaith Dyffryn Aeron sy'n rhoi i lais yr adroddwraig naturioldeb cynnes a chartrefol. Fe welir yn yr eirfa yn adran 10 y nodiadau hyn gymaint o eiriau tafodieithol cyfoethog a ddefnyddir. Nodwedd arall ddeniadol yw'r defnydd o sgwrs sy'n bywiogi'r stori ac sy'n gyfrwng i gyfleu cymeriad. Roedd cynnwys tameidiau o sgwrs yn rhywbeth bwriadol y soniodd yr awdures amdano yn ei chyfweliad ag Emyr Llywelyn.

Fe welir bod y bennod gyntaf un yn agor gyda golygfa ddramatig lawn dirgelwch sy'n cael ei chynnal gan ddeialog dafodieithol bert a chwbl naturiol. Wrth osod y llwyfan yn y bennod gyntaf, fe welwn fod llawer yn cael ei gyflwyno mewn cwmpas byr a chryno: cyflwynir y tri chymeriad a dysgwn am eu pryd a'u gwedd, a chyflëir eu personoliaethau; ceir syniad am leoliad y fferm, ac ar ddiwedd y bennod ceir brawddeg arwyddocaol o enau Martha sy'n sefydlu cysgod presenoldeb Mami a geir trwy gydol y nofel: "Wel, wel, beth wede Mami am hyn?"

Iaith amrwd, reglyd, a chwbl realistig sydd gan Jac. Yn wahanol iawn i ambell nofel gyfoes arall megis *Brithyll* (2006) gan Dewi Prysor, er enghraifft, lle ceir defnydd cwbl afradlon o regfeydd sy'n tueddu i fynd yn fwrn, nid yw'r rhegfeydd a gynhwysir mewn deialog yn y nofel hon yn tynnu sylw atynt eu hunain. Mae'r defnydd ohonynt yn fwy mesuredig, ac oherwydd hynny yn llawer mwy effeithiol. Ystyrier y dyfyniadau bachog a gafaelgar hyn o enau Jac:

**(i)** "Rhacsyn o gi yw hwnna 'fyd. Os o'dd ise fe rhoi shot i rywbeth, hwnna ddyle fod 'di ca'l un, reit lan 'i ffycin din." (t. 12)

**(ii)** "Iesu Grist, fenyw, be sy'n bod 'no chi? Daliwch y ffycers ne byddwn ni 'ma hyd ddydd Calan!" (t. 35)

Ond yr hyn sy'n dangos gallu'r awdures i ddefnyddio deialog at bwrpas dramatig yw'r golygfeydd hynny lle mae gwrthdaro'n digwydd rhwng cymeriadau. Gwneir hyn yn hynod effeithiol ym mhenodau agoriadol y nofel lle mae'n amlwg fod cryn dyndra rhwng Jac a Martha ynghylch perthynas y naill â Judy a pherthynas y llall â Gwynfor. Mae tymer biwis Jac a'i dafod brwnt wrth siarad â Gwynfor yn dân ar groen Martha ym mhennod 3, a chaiff hynny ei gyfleu gyda chymysgedd o naratif disgrifiadol cynnil a defnydd tra phwrpasol o ddeialog.

"A shwt ma pethe'n dy drin di, Jac?"

Tapiodd Jac y sigarennau ar y ford bob yn un er mwyn eu tacluso.

"Digon i neud, a ddim yn mynd tamed yn ifancach."

"Ma fe'n dod i ni gyd, on'd yw e?"

Edrychodd Jac arno. "Odi ma fe, ac ma fe'n waeth i fenyw rywffordd, on'd yw e?"

Bwrodd Martha'r ffreipan yn erbyn y stof.

"Wel, ma'r holl waith caled na yn ddigon anodd ar y corff, on'd yw e?"

"Odi, yn enwedig pan does neb dach chi i helpu."

Edrychodd Sianco i fyny'n dawel ar Jac... (tt. 14-15)

Er mai ond y ddau ohonynt sy'n siarad, mae clywed am ystum Martha'n taro'r badell ffrio yn erbyn y stof a Sianco'n codi ei olygon ar Jac yn cyfleu yn gynnil eu hymateb hwy i'r geiriau. Mae creu golygfeydd fel hyn yn ein hatgoffa o dechnegau ffilmio drama deledu lle mae lens y camera'n gallu canoli sylw'n agos ar wyneb neu ar ystum un cymeriad er mwyn cyfleu ei ymateb i'r hyn y mae cymeriad arall yn ei ddweud.

Mae'r un dechneg ar waith ym mhennod 5, pan yw Martha'n cyfarfod Judy am y tro cyntaf a hithau wedi dod draw am bryd o fwyd. Mae'r ddeialog Saesneg rhwng y ddwy yn cyfleu annifyrrwch Martha i'r dim, a'r pytiau o sgwrs Gymraeg yn cyfleu'r tyndra rhyngddi hi a Jac. Un o uchafbwyntiau comig a dramatig y nofel gyfan yw cwestiwn bwriadol amwys Martha i Judy: ' "Tart?", gofynnodd i Judy â'u (sic) haeliau'n uchel.'(t. 25)

Mae gennym yma lenor teimladwy sy'n gallu cyfleu emosiynau yn gynnil drwy ddarlunio ystum. Trwy gyfrwng ei sylwgarwch mae'n caniatáu i'r darllenydd amgyffred teimladau cymeriad heb orfod gadael i'r cymeriad hwnnw ddweud gormod, a heb orfod cynnwys llawer o sylwebaeth. Ystyrier sut y mae ystum awgrymog a chynnil Gwynfor yn llwyddo i gyfleu ei ymateb i'r cyferbyniad rhyngddo a Jac:

> Roedd Gwynfor bob amser mewn siwt lwyd daclus, coler ei grys ar agor a'i sgidiau wedi'u rhwbio â Phledge. Gwyliodd e Jac yn rhibino'r baco yn y papur Rizzla. Roedd ei ewinedd yn dew fel cyrn dafad. Llusgodd Gwynfor ei ddwylo gwyn dros y ford a'u gorffwys yn ei gôl o'r golwg. (t. 14)

Does dim rhaid dweud fod Gwynfor yn teimlo annifyrrwch am nad oedd ei ddwylo yn dangos cymaint o ôl gwaith â dwylo Jac, gan fod yr ystum yn ddigon i awgrymu hynny. Enghraifft dda arall yw honno pan fo Martha'n dewis neclas i'w gwisgo cyn mynd i'r dref:

Dewisodd un roiodd Gwynfor iddi, cyn ei rhoi'n ôl a gwisgo un ei mam. (t. 28)

Mae'r un frawddeg fer yna yn llwyddo i adrodd cyfrolau am berthynas Martha a Gwynfor ac fel y mae ei theyrngarwch i'r atgof am Mami yn gryfach.

### 6.2 Cymariaethau bachog

Oherwydd y defnydd o dafodiaith, mae modd gweld nifer o gymariaethau bachog sydd wedi eu gwreiddio yn y bywyd amaethyddol, ac mae'r rheini'n ychwanegu llawer at loywder gafaelgar llais yr adroddwraig. Ystyrier y detholiad hwn o gymariaethau trawiadol a italeiddiwyd isod:

**(i)** Roedd golau gwan yn diferu i lawr ar y cae o'r lleuad, a honno *mor amlwg â thwll mewn to sinc*. (t. 7)

**(ii)** Sylwodd Martha fod ei fochau'n borpoeth a'r blew ar ei wddwg *fel blew brws cans*. (t. 10)

**(iii)** Roedd ei ewinedd yn dew *fel cyrn dafad*. (t. 14)

**(iv)** Roedd siarad â Judy *fel cerdded trwy gae o ddail poethion*. (t. 39)

**(v)** Roedd Sianco'n eistedd wrth ei ymyl, ei lygaid yn dechrau cau a Bob ar ei fol yn crynu *fel weiren bigog wedi cael plwc*. (t. 36)

**(vi)** Roedd siarad â Wil *fel pilo winwnsyn*. (t. 57)

**(vii)** Cerddodd Jac am y giât yn y pen draw a Roy wrth ei gwt *fel siafyn o haearn wrth fagned*. (tt. 103-4)

**(viii)** Rhwbiodd ei breichiau wrth iddyn nhw oeri, â'r blew gwyn arnyn nhw'n codi *run peth â'r barlys trwy groen y cae*. (t. 111)

Tarddu o iaith lafar gyhyrog a wna cymariaethau fel y rhain. Mae gweld ymadroddion tafodieithol yn rhan o'r pleser o ddarllen y nofel hon, gan fod sawl ymadrodd naturiol-lafar yma sy'n dangos fod gan yr awdures glust fain iddynt. Jac sy'n llefaru yn y dyfyniad canlynol: "Pwy lo sy'n dod mewn, fenyw? Rhowch drad yn tir, wir, a peidwch bod mor dwp..." (t. 6). 'Rhoi traed yn y tir', sy'n golygu cyflymu cam, brysio, rhoi siâp arni. Wrth iddo gymell Martha i brynu llawer o fecryll drwy gyfeirio at awch Sianco am fwyd, mae Sam Fish yn dweud hyn: "Ma'n siŵr bod hwn yn galler staco nhw i gadw..." (t. 140). Dweud y mae ei fod yn tybio bod Sianco'n gallu bwyta'r pysgod yn awchus nes eu bod yn diflannu'n gyflym.

### 6.3 Dawn ddisgrifiadol

Mae elfen weledol gref i'r nofel. Mae'n amlwg fod Caryl Lewis yn llenor sy'n ymhyfrydu mewn creu golygfeydd darluniadol cynnil. Gall ddefnyddio'i synwyrusrwydd i greu awyrgylch. Tystia'r disgrifiadau o fyd natur i'w gallu i gonsurio awyrgylch mewn ffordd farddonol, fel pan ddisgrifir y blodau a'r sêr yn y paragraff hwn:

> Wrth iddi gerdded, sylwodd hi ddim bod y blodau wedi dechrau cau. Yr amser yma, roedd Dat yn arfer gweud, oedd yr amser gorau am flodau. Byddech chi'n medru eu gweld nhw'n anadlu, yn diogi ac yn cau am y nos. Roedd y petalau i gyd yn cyrlio am y llygaid fel pe baen nhw'n mynd i gysgu, gan gadw holl oerfel y nos y tu allan. Roedd yr awyr yn frith o sêr yr amser hyn o'r flwyddyn ac yn yr hydref. Fel pe bai rhywun wedi eu taflu ar draws yr awyr, rif y gwlith, ac wedi anghofio eu tacluso. Roedden nhw'n cronni yno fel glaw yn barod i ddisgyn i lawr yn drwm ar y pridd brown. (t. 114)

Ceir enghraifft arall o'r un math o sylwgarwch a synwyrusrwydd wrth ddisgrifio'r gwylanod ar y cae pan fo Jac yn aredig ar dudalen 59.

Mae darlunio natur weithiau'n digwydd fel cyflwyniad i adeg o'r flwyddyn yn y nofel ac yn gyfrwng i osod cefndir i ddigwyddiadau. Yn hytrach na dweud pa fis yw hi, yr hyn a wneir yw darlunio'r tymor. Ond mae swyddogaeth arall hefyd i'r sylw i natur weithiau, sef bod yn gyfrwng i ddweud rhywbeth am amgylchiadau'r cymeriadau. Sylwer fel y mae'r sôn am ddyfodiad y gwcw a chlywed ei sŵn yn gwneud i Martha feddwl am Judy ar dudalen 116. Byddai'n hawdd iawn inni fethu ergyd y gyfeiriadaeth gan mor gynnil ydyw. Aderyn dieithr sy'n dod yn ddiwahoddiad ac yna'n gadael yw'r gwcw. Mae'n lladrata nythod adar eraill yn gyfrwys er mwyn dodwy ei hwyau ei hun ynddynt, a gwêl Martha Judy yn fygythiad i'w safle hi fel gwraig aelwyd y Graig-ddu.

### 6.4 Cydymdeimlad emosiynol

Byddai'n deg inni ddweud fod yr awdures yn cydymdeimlo'n emosiynol â Martha, y prif gymeriad, ac oherwydd hynny yn llwyddo i greu angerdd nes ennyn ymateb tyner yn y darllenydd. Er nad yw'n eglur inni ar y cychwyn pam yr oedd Martha'n gosod torch yn y clawdd yng Nghae Marged, fe ddown i ddeall yn nes ymlaen mai yno y claddwyd y baban yr esgorodd hi arno. Wrth osod y dorch y mae'n teimlo gwewyr ac yn wylo:

> Dechreuodd Martha lefen. Llefen a llefen petai'n ddiwedd y byd. Llefodd nes bod ei llygaid yn goch a'i hwyneb yn wlyb sopen. Llefodd nes clywed curiad ei gwaed yn ei phen a'i thrwyn yn llenwi... (tt. 44-5)

Mae'r dyfyniad hwn yn dwyn i gof y danchwa emosiynol wrth i'r argae agor yn *Un Nos Ola Leuad* (1961) Caradog Prichard, lle mae'r bachgen, sy'n brif gymeriad y nofel honno, yn derbyn pentwr o ddillad ei fam ar ôl iddi fynd i'r Seilam ac yn crio. Ystyrier rhythmau'r darn canlynol lle'r ailadroddir y berfenw 'crio':

> A wedyn dyma fi'n dechrau crio. Nid crio run fath â byddwn i erstalwm ar ôl syrthio a brifo; na chwaith run fath â byddwn i'n crio mewn amball i gnebrwng...
> Ond crio run fath â taflyd i fyny.
> Crio heb falio dim byd pwy oedd yn sbïo arnaf fi.
> Crio run fath â tasa'r byd ar ben.
> Gweiddi crio dros bob man heb falio dim byd pwy oedd yn gwrando... (tt. 173-4)

Cymharer darn tebyg gan Angharad Price yn *O! tyn y gorchudd* (2002), wrth i Rebeca Jones ymateb i weld hen ffilm o'i theulu:

> Ond pan ddychwelais at breifatrwydd fy nghartref, a gwybod bod sŵn y nant yn boddi fy sŵn, prin y gallwn gau'r drws cyn torri i wylo. Wylo fel na wneuthum erioed mewn unrhyw brofedigaeth. Ysgwyd wylo. Wylo o hiraeth amdanynt. Wylo drwy'r nos hir ym Maesglasau, nes sigo fy nghorff esgyrnog. (t. 123)

Ymhob achos, mae ailadrodd 'llefen', 'crio', ac 'wylo' yn ddyfais sy'n dwysáu'r teimlad.

Mae pathos yn y rhan fwyaf dirdynnol o'r nofel lle mae Martha'n datgelu ei chyfrinach wrth Sianco ac yn sôn am y baban a fu farw ar ei enedigaeth. Unwaith eto, yn yr olygfa honno fe welwn ar waith y dechneg o adrodd geiriau un cymeriad yn gymysg â sylwebaeth gynnil ar ystum cymeriad arall.

Briga'r dyfnder emosiynol i'r wyneb hefyd ar ddiwedd pennod 28 lle mae'r tri phrif gymeriad yn chwerthin yng nghwmni ei gilydd wrth hel atgofion am ddedwyddwch yr hen ddyddiau, a Jac yn tynnu anadl hir cyn gofyn cwestiwn rhethregol:

> "Ble'r aeth y cwbwl?" gofynnodd Jac i'r awyr ac fe safodd y cwestiwn yn y gwynt, uwchben y bwrlwm islaw eu traed. (t. 146)

Dyna'r math o gwestiwn y bydd pawb sy'n hiraethu am ryw ddoe na ddaw'n ôl yn ei ofyn wrth resynu fod amser yn lleidr mor ddidrugaredd.

## 6.5 Symboliaeth

Nodwedd arall ar y nofel yw'r lle amlwg i symboliaeth sydd ynddi. Mae creu symbolau sy'n magu rhyw arwyddocâd yn dechneg a welir yn aml mewn llenyddiaeth, ac mae ymateb i symbolau yn rhywbeth a fu'n rhan sylfaenol o'r profiad dynol o ddyddiau'r dyn cyntefig ymlaen. Fe geir symboliaeth weledol mewn celfyddyd a chrefydd a chwedlau a mytholeg, lle mae rhyw ddelwedd weledol, ddiriaethol, yn awgrymu ystyr haniaethol nad oes raid ei mynegi, ond y gellir ymateb iddi a'i deall a'i gwerthfawrogi. Mae creu symbol yn debyg i greu trosiad. Mae neges yn cael ei chyfleu yn anuniongyrchol heb ei datgan. Nodir isod rai o'r symbolau a welir yn y nofel:

### (i) Y brain

'Brân a gre yn y gyfarthfa' ('Brân sy'n crawcian ym maes y frwydr'), meddai'r Gogynfardd Peryf ap Cedifor, ac mae'r brain yn cael eu crybwyll yn aml: dyna'r gigfran y clywn amdani gyntaf ar dudalennau 75-6, sy'n curo ar y ffenestr ac yn ceisio dod i mewn i'r tŷ; ar dudalen 79 ceir cyfeiriad at gigfran fawr dywyll ar gangen yn yr ardd; roedd brain wedi 'setlo'n un cwmwl du bygythiol ar y dderwen fawr' ar dudalen 110, ac ar dudalen 115, mae eu sŵn i'w glywed yn crawcio. Cyfeirir drachefn at sŵn crawcian y brain ym mharagraff olaf y nofel ar dudalen 190. Gellir yn sicr weld y brain yn symbol o'r diwedd ei hun, o angau, sef y grym difaol sy'n diweddu popeth. Yn hynny o beth, mae cysylltiad rhwng y grym difaol ac arwyddocâd symbolaidd y bwgan brain nad yw'n llwyddo i waredu rhag y chwalfa fawr a ddaw erbyn diwedd y nofel. Er bod Martha wrth gyfri'r cyrff a wenwynwyd yn enwi'r frân, mae'n ffaith nad oes gyfeiriad o gwbl at gorff y frân yn cael ei ganfod. Yn wir, y mae Martha ei hun mewn un man yn amau a oedd yr aderyn yn bodoli o gwbl gan na welodd arwydd ei bod wedi ei lladd: 'Roedd y frân bron fel pe na bai hi erioed wedi bodoli.' (t. 93). A oedd meddwl Martha'n dechrau chwarae mig â hi tybed? Credai iddi weld y gigfran yn bwrw yn erbyn y ffenestr yn y nos, a chysylltir hynny â'r ofergoeliaeth fod rhyw anlwc ar ddigwydd, ond mae'n ymddangos na lwyddodd Martha i ganfod y corff.

### (ii) Y piano

Anrheg i Martha gan Gwynfor oedd y piano ar ôl iddi ddweud wrtho yr hoffai allu dysgu canu'r offeryn (gw. tt. 16-18). Pan ddaw Gwynfor i geisio pwyso arni eto i dderbyn ei gynnig i'w phriodi, mae'n dweud wrthi iddo brynu piano ar ei chyfer, a bod yr offeryn ym mharlwr Troed-rhiw (t. 53). Ar ôl i Gwynfor bwdu â Martha ac anobeithio ynghylch eu perthynas, y peth nesaf a glywn am y piano yw ei fod yn cyrraedd y Graig-ddu mewn lori (tt. 70-71). Gosodwyd ef yn y parlwr, ond nid oedd y fan honno'n lle addas iddo oherwydd y tamprwydd a'r halen a oedd yn treiddio i'w gefn trwy waliau'r hen dŷ. Yr esboniad a geir yw hwn: 'Roedd y tŷ wedi lladd y piano' (t. 126). Gellir gweld y piano'n symbol o'r rhyddid a'r bywyd a'r hapusrwydd y gallai Martha fod wedi ei gael petai wedi derbyn cynnig Gwynfor. Roedd ei dyheadau a'i hysfa greadigol yn cael eu cynrychioli gan y piano, a gellir honni, felly, i'w hymlyniad wrth y Graig-ddu ei rhwystro rhag profi gwir hapusrwydd. Sylweddolodd fod y piano wedi'i ddifetha y noson y clywodd gan John Penbanc fod Gwynfor wedi priodi merch iau nag ef a'i bod hi'n disgwyl plentyn. Mae hynny'n brifo Martha i'r byw, ac mae'n sylweddoli erbyn hyn fod y cyfle a oedd ganddi i fyw bywyd gwahanol wedi'i golli am byth.

### (iii) Y coed celyn

Dywedir bod rhaid i Martha brynu celyn at y Nadolig am fod y ddwy goeden gelyn yn yr ardd yn ddiffrwyth:

> Roedd Martha'n tybio mai dwy chwaer neu ddau frawd oedden nhw. Doedd dim gobaith cael epil coch wedyn. (t. 44)

Gall pren celyn fod naill ai'n wryw neu'n fenyw, a dim ond ar bren benyw y tyf aeron cochion. Dychmygu y mae Martha fod y ddau bren o'r un rhyw ac oherwydd hynny yn methu â dwyn ffrwyth. Ceir awgrym cynnil yma fod y ddwy goeden yn cynrychioli preswylwyr y Graig-ddu, oherwydd nad oes etifedd ifanc ar yr aelwyd. Dau frawd ac un chwaer sy'n byw yno. Yr eironi yn y fan hon yw fod epil Martha, sef y baban a anwyd ohoni hi, wedi ei gladdu o dan y dderwen, a digwydd y symbol o fewn yr un paragraff sy'n sôn am osod torch yn y clawdd.

### (iv) Y bwgan brain

Pan ofynnwyd i'r awdures ynghylch absenoldeb ymddangosiadol crefydd yn y nofel yn y cyfweliad rhyngddi ac Emyr Llywelyn, fe gyfeiriodd yn benodol at y bwgan brain yn symbol o grefydd am fod cyffelybiaeth rhyngddo a'r Iesu ar y Groes. Ond yr unig gymeriad sydd fel petai'n ymateb i bresenoldeb symbolaidd y bwgan brain yw Sianco. Yn ei feddwl plentynnaidd ef mae'r bwgan brain fel petai'n bresenoldeb cysurlon. Pan glywir amdano gyntaf ym mhennod 23, sonnir am y 'datgladdiad blynyddol'. Pan osodir ef yng nghanol y cae barlys y mae'n gwarchod dros y cnwd. Ei swyddogaeth yw cadw'r brain draw. Ond wrth ei draed y canfyddir Jac yn gorwedd. Synhwyrir ei fod yn ffynhonnell cysur a gobaith i Sianco yn ei unigrwydd, ond buan iawn y try'n wrthrych ei atgasedd wrth iddo ei ddyrnu'n ddidrugaredd er mwyn cael gwared ar ei rwystredigaeth a'i siom.

Heb i neb ofyn iddo, Sianco yw'r un sy'n mynd i gadw'r bwgan brain yn ôl yn y stordy fel rhan o'r ddefod flynyddol, er na fyddid ei angen byth eto. Fe sarnodd ac fe bydrodd y cnwd barlys yn y cae er gwaethaf presenoldeb y bwgan, a hynny oherwydd amgylchiadau y tu hwnt i reolaeth neb. Mae Cae Marged yn gysylltiedig â gobaith sy'n cael ei ddryllio, gan mai yno y claddwyd y baban, yno y codwyd y babell sy'n cael ei chwythu gan y gwynt, ac yno yr heuir yr had nad yw'n cael ei gynaeafu. Efallai fod rhyw neges yma mai Natur sydd drechaf, er gwaethaf yr angen sydd mewn dyn am ryw ganllaw diogel ac ysbryd cynhaliol sydd hefyd yn amddiffynfa ac yn ffynhonnell gobaith iddo. Wrth iddi ddringo'r grisiau i'r stordy yn arswydo rhag y gwaethaf mae Martha'n 'yngan gweddïau dan ei hanadl' (t. 184), ond ofer oedd hynny oherwydd canfu Sianco'n gorwedd yn farw ym mreichiau'r bwgan brain.

### (v) Y rhif saith

Mae'n wybyddus fod i'r rhif saith arwyddocâd mewn llenyddiaeth a chwedloniaeth a chrefydd. Yn y Beibl, er enghraifft, y mae'n rhif perffaith. Soniwn am seithliw'r enfys, saith diwrnod yr wythnos, y saith gysgadur, y saith gelfyddyd, y saith bechod marwol a'r saith rinwedd. Yn y nofel sonnir am y saith cath fach a leddir gan Bob (gw. t. 14), ac am y 'saith saig', sef y saith pysgodyn a goginiwyd ar gyfer y picnic (t. 143), ac, wrth gwrs, arswyd y rhybudd a geir fwy nag unwaith fod y gwenwyn yn lladd saith gwaith. Gwyddom i hwnnw hawlio saith ysglyfaeth yn y pen draw, gan fod y nofel yn cloi drwy grybwyll pwy a fyddai'r seithfed gelain (t. 190).

# 7. Cymharu dwy nofel

Er nad yw amgylchiadau teulu'r Graig-ddu mor annaturiol ag yw amgylchiadau teulu Arllechwedd yn nofel Geraint Vaughan Jones, *Yn y Gwaed* (1990), na'i phwnc mor dywyll, y mae modd gweld rhyw awgrym o debygrwydd rhwng y ddwy. Darlunnir fferm neilltuedig gan Geraint Vaughan Jones lle mae'r teulu, y Fam oedrannus, a'i mab a'i merch ganol oed, Robin a Mared, yn byw ar yr un aelwyd ac yn cadw perthynas hyd braich â'r byd oddi allan am eu bod yn gwarchod cyfrinachau teuluol arswydus. Yr oedd Mared a Robin yn ffrwyth perthynas losgachol eu Mam â'r diweddar Dewyrth Ifan, ac fe aned plentyn arall iddi hefyd, ond bod nam arno. Cadwyd y plentyn hwnnw'n gaeth ganddynt fel anifail cyntefig yn y llofft stabl am dros hanner can mlynedd.

Mae ambell olygfa a digwyddiad yn y nofel honno sy'n ein hatgoffa ni o'r nofel hon. Etifeddwyd Arllechwedd, sy'n fferm ddigon dilewyrch fel y Graig-ddu, gan Dewyth Ifan, ac mae'i gysgod ef dros aelodau'r teulu a phresenoldeb ei ddrychiolaeth yn dal i'w haflonyddu. Mae dylanwad y Fam fyw bresennol yn *Yn y Gwaed* yn ein hatgoffa o ddylanwad Mami ar ei phlant yn *Martha Jac a Sianco*. Mae tynged teulu Arllechwedd hefyd i raddau yn arwain at ddiwedd trist lle mae'r chwaer yn marw ar ôl colli plentyn a'r brawd yn cyflawni hunanladdiad. Er bod cysgodion tywyll y nofel honno yn wahanol i'r cysgodion sy'n crynhoi yn y nofel hon, y mae'r un ymdeimlad o anghytgord rhwng y cymeriadau a'r un awyrgylch a grëir gan ddigwyddiadau bygythiol a brawychus mewn mannau i'w cael yn y ddwy. Tebygrwydd arall rhwng y ddwy yw'r ymdriniaeth â chyflwr seicolegol y prif gymeriadau a geir ynddynt.

# 8. Rhai cwestiynau sy'n sail i drafodaeth

1. A oes neges yma fod ymlynu gormod wrth y gorffennol yn gallu mygu a llesteirio'r presennol?

2. Ai baich annheg yw cynnal etifeddiaeth ynteu dyletswydd?

3. Ai teyrngarwch i'r atgof am Mami yn unig sy'n rhwystro Martha rhag derbyn cynnig Gwynfor iddi ei briodi?

4. A yw arwyddocâd symbol y piano (gw. **6.5 (ii)** uchod) yn awgrymu y dylai Martha fod wedi derbyn cynnig Gwynfor a symud ato i fyw yn Nhroed-rhiw?

5. Er ei bod wedi marw, a ellir cyfiawnhau ystyried Mami yn un o gymeriadau'r nofel?

6. A ellir beirniadu Jac am fod mor naïf â chredu fod dyfodol iddo ef a Judy ar aelwyd y Graig-ddu?

7. A ellir beirniadu Martha am fod yn ystyfnig a hunanol drwy beidio â chroesawu Judy i'r Graig-ddu a rhoi cyfle i Jac a hithau feithrin eu perthynas?

8. A yw ofn gweld ei chartref yn cael ei ddifwyno gan Judy a'i hepil yn un o'r rhesymau sy'n cadw Martha rhag ymadael â'r Graig-ddu?

9. Beth yw arwyddocâd y frân ddu sy'n curo ar ffenestri'r Graig-ddu?

10. Gan nad oes sôn am gorff marw'r gigfran yn cael ei ddarganfod o gwbl, ai yn nychymyg Martha yn unig yr oedd y frân ddu fygythiol yn bodoli?

11. Pwy yw'r cymeriad mwyaf bodlon a hapus ei fyd yn y nofel yn eich barn chi?

12. Â pha gymeriad yn y nofel yr ydych yn uniaethu fwyaf a pham?

13. Â pha gymeriad yn y nofel yr ydych cydymdeimlo ag ef neu hi?

14. I ba raddau y cytunwch â'r datganiad a geir yn adran **4.6** uchod nad ni sy'n rheoli bywyd ond bywyd sy'n ein rheoli ni, yng ngoleuni stori'r nofel hon?

15. Ai prif neges y nofel yn y pen draw yw ein bod i gyd fel pobl yn gaeth i'n hamgylchiadau?

16. A ydych yn credu fod y portread o Martha yn fwy cyflawn a sensitif am fod y nofel wedi'i hysgrifennu gan ferch yn hytrach na chan ddyn?

17. A yw'r darlun o deulu'r Graig-ddu fel un ynysig yn un credadwy y gellir canfod ei debyg mewn bywyd go-iawn?

18. Pa mor ddeniadol i chi yw'r math o fywyd gwledig a ddisgrifir yn y nofel?

# 9. Crynodeb o gynnwys pob pennod

### Pennod 1

Mae'r tri phrif gymeriad yn mynd i'r cae un noson er mwyn ceisio datrys dirgelwch rhyfedd y fuwch sy'n cael ei sugno. Gwelant hi'n sugno ei llaeth ei hun, rhywbeth na welsant mohono'n digwydd erioed o'r blaen.

### Pennod 2

Mae Jac y bore wedyn yn ymateb yn ffyrnig pan yw'n sylweddoli fod Sianco wedi saethu'r fuwch. Yn y fan hon y mae Jac yn trafod Gwynfor am y tro cyntaf, ac yn annog Martha i symud ato i fyw, tra bo Sianco'n tynnu sylw Martha at anfadwaith Bob y ci yn lladd y saith cath fach.

### Pennod 3

Mae hi'n nos Wener ac mae Gwynfor yn galw heibio. Mae Martha ac yntau'n ymneilltuo i'r parlwr i siarad. Mae Gwynfor yn ymbil arni i dderbyn ei gynnig i'w phriodi a symud ato i fyw i Droed-rhiw, ac yn dweud y byddai'n dychwelyd eto'n fuan i geisio derbyn ateb ganddi.

### Pennod 4

Mae Martha a Sianco yn gwylio Jac yn hyfforddi ei gi defaid, Roy.

### Pennod 5

Mae Martha'n cyfarfod Judy am y tro cyntaf pan ddaw draw i swper ar noson dyddiad pen-blwydd Mami. Mae Jac yn mynd â Judy i'r parlwr ac mae Martha a Sianco'n mynd allan i'r nos ac yn eistedd ar ben grisiau'r storws.

### Pennod 6

Mae'n ddydd Iau ac mae Sianco'n chwarae tric ar Jac drwy guddio pin y trelar, a Martha'n mynd ar ei thaith wythnosol i'r dref i wneud ei neges. Erbyn iddi ddod adref mae Judy wedi gwneud swper.

### Pennod 7

Daw Sianco i wely Martha yng nghanol y nos ac mae Martha'n gorwedd yn effro yn hel meddyliau am y Nadolig sydd ar ddod, ac am Gwynfor.

### Pennod 8

Dyma ddiwrnod lladd y tyrcwn. Mae Martha, Jac, a Sianco yn cydweithio'n llawen wrth ladd y tyrcwn a'u pluo, ac yna'n drindod ddedwydd wrth y tân pan yw Martha'n trin yr adar ac yn difyrru Sianco.

### Pennod 9

Mae'n ddiwrnod Dolig ac mae Martha, Jac, a Sianco'n cael cinio gyda'i gilydd. Ar ôl cinio daw Judy draw. Sylwa Martha ar fodrwy Mami ar fys y Saesnes, a dyna gychwyn ffrae rhwng Jac a Martha. Gadawa hi'r tŷ gyda chlep ar y drws a mynd â thorch ar fedd Mami fel yr arferai wneud ar ddiwrnod Dolig bob blwyddyn.

### Pennod 10

Yn ddiweddarach y pnawn hwnnw mae Martha'n mynd i'r fynwent ac yna'n ymlwybro draw i Gae Marged. Ar ôl beichio crio, mae'n gosod yr ail dorch o dan y dderwen wrth glawdd uchaf y cae, tra bo Sianco'n gwylio pob symudiad o'i cham.

### Pennod 11

Mae Martha'n llosgi papurach yn yr ardd a Jac yn dweud wrthi fod gan Gwynfor gariad newydd ieuengach na hi. Ceisia Jac ddal pen rheswm â'i chwaer wrth iddynt drafod yr etifeddiaeth a'r cyfle a oedd ganddi i adael y Graig-ddu. Dywed rhai gwirioneddau wrthi, ond doedd dim yn tycio, ac fe ddaw'n amlwg i Jac nad oes modd ei throi.

### Pennod 12

Mae'n wanwyn ac mae Sianco wedi gweld fod y lili wen fach yn blodeuo. Daw Gwynfor draw am y tro olaf i geisio perswadio Martha i dderbyn ei gynnig. Drwy ofyn i Gwynfor a oedd Jac â'i fys yn y brywes yn rhywle mae hi'n clwyfo Gwynfor yn enbyd, ac mae ef yn gadael. Rhydd hi badell dros ôl ei droed yn y mwd.

### Pennod 13

Mae Wil Tyddyn Gwyn yn dod â'r aradr draw am ei bod yn ddiwrnod aredig Cae Marged. Mae Martha'n mynnu gwylio Jac yn aredig, ac mae yntau'n gwylio Martha ac yn ei chofio'n eneth bymtheg oed, sef yr oedran yr oedd ynddo pan oedd yn feichiog (er na ddatgelir hynny tan bennod 32). Mae Jac yn edrych ymlaen am gael mynd i gysgu yn nhŷ cyngor Judy y noson honno.

### Pennod 14

Caiff Martha ei deffro gan sŵn rhywbeth neu rywun yn taro'r ffenest. Does neb ond hi a Sianco yn y tŷ am fod Jac yn nhŷ Judy. Mae Martha'n amau mai nhw ill dau sy'n chwarae gêmau â hi er mwyn ei dychryn.

### Pennod 15

Y bore wedyn daw Jac yn ei ôl o dŷ Judy'n gynnar er mwyn godro a pharatoi corlannau'r defaid ar gyfer wyna. Mae hefyd yn trin y corn sy'n tyfu i mewn i ben yr hwrdd. Gofynna Jac i Martha fynd â ffurflen gais am fudd-dal anabledd ar ei ran i'r dref am ei fod yn cwyno gyda'i gefn, ond mae hi'n anfoddog iawn i wneud am nad oes neb o aelodau'r teulu erioed wedi byw ar y wladwriaeth les. Daw dynion mewn lori â'r piano i'r tŷ a'i osod yn y parlwr. Erbyn amser swper daw Judy i'r tŷ ac mae Jac a hithau'n gwneud hwyl am ben Martha a Sianco. Mae Sianco'n galw Judy yn 'bitsh' ac yn cael cweir gan Jac.

### Pennod 16

Deffroir Martha a Sianco ganol nos gan sŵn tapio ar y ffenest unwaith eto. Gwêl Martha'r gigfran yn ceisio dod i mewn i'r tŷ ac mae'n cau llenni pob ystafell. Â i mewn i lofft Mami a Dat a hel meddyliau am y gigfran. Roedd Jac yn cysgu'r nos yn nhŷ Judy.

### Pennod 17

Mae Martha'n dechrau meddwl am ffordd i ladd y gigfran. Daw Jac a Judy i'r buarth yn y cerbyd 4x4 newydd, a chlywir bod yr hen gar wedi cael ei roi yn anrheg i un o feibion Judy a fyddai'n dechrau cael gwersi gyrru cyn bo hir. Clyw Martha hefyd y bydd yn rhaid iddi gael lifft gan Judy i'r dref o hyn ymlaen.

### Pennod 18

Mae'n ddiwrnod siopa yn y dref ac mae Martha'n cael ei hebrwng yno gan Judy yn y cerbyd newydd. Caiff Martha rybudd gan Emyr Siop ynghylch bwriadau Judy, ac ar y ffordd adref y mae'n mynd yn sâl yn y car. Ar ôl cyrraedd adref mae'n newid ei dillad ac yn mynd i'r storws i nôl y gwenwyn. Aiff i'w gwely'n fuan gan adael Jac a Judy yn sgwrsio'n hwyliog yn y gegin.

### Pennod 19

Y bore wedyn y mae Martha'n chwilio am frân wedi trigo yn yr ardd. Mae'n amlwg iddi osod y gwenwyn y noson cynt. Roedd Jac yn awyddus i gael help i ddosio'r anifeiliaid, ond roedd meddwl Martha ar y frân ac ar effaith y gwenwyn.

### Pennod 20

Yn ddiweddarach y prynhawn hwnnw sonnir am ddiflaniad y llyfrau banc ac am bryder Jac ynghylch eu tynged. Aiff Jac ar ei union i'r dref er mwyn diogelu'r cyfrifon banc, a dychwela wedi i Martha orffen godro. Daeth Judy i'r Graig-ddu mewn car arall a chyhuddir hi o ddwyn y llyfrau banc. Ffromi a wna hi ar ôl cael ei chamgyhuddo a throi ar ei sawdl a gadael. Ar ddiwedd y bennod cyfaddefa Sianco mai ef a guddiodd y llyfrau.

### Pennod 21

Mae'n dymor wyna ac mae eira ar lawr. Erbyn hyn mae Judy'n dechrau gwneud ei hun yn gartrefol yn y Graig-ddu. Mae Jac yn canfod llwynog wedi trigo yng ngwaelod yr ardd, ac mae'r arswyd yn dechrau cydio ym Martha.

### Pennod 22

Tua diwedd y tymor wyna mae Jac yn symud defaid ac ŵyn gyda chymorth Roy ei gi defaid, ac yn cofio am ei garwriaeth â Gwen. Mae'n edifarhau am i Mami ddylanwadu ar eu perthynas.

### Pennod 23

Mae Martha a Sianco'n estyn y bwgan brain o'r storws ac yn ei gludo i Gae Marged. Wrth redeg yn ôl i'r llaethdy i nôl cap i'w roi am ben y bwgan y mae Sianco'n gweld Jac a Judy'n caru. Ar ôl gweld ei frawd yn syllu arnynt, mae Jac yn gynddeiriog o'i gof ac yn dal gwn at ben Sianco. Wrth gloi'r bennod fe welwn Martha'n gwylio Sianco yn rhoi'r cap am ben y bwgan brain ac yn sefyll o'i flaen yn syllu arno'n hir.

### Pennod 24

Rai dyddiau wedyn mae'n ddiwrnod cneifio a daw John Penbanc a'i fab draw. Caiff Martha glywed o enau parablus John fod Gwynfor wedi priodi geneth lawer ieuengach nag ef mewn swyddfa gofrestru a'i bod yn feichiog. Mae clywed hyn yn brifo Martha i'r byw. Yna daw'r olygfa ble mae'r cynrhon yn cael eu tynnu o gnawd yr oen, a ble mae Martha'n meddwl am ei dolur hi.

### Pennod 25

Y noson honno mae Martha'n syllu ar y piano yn y parlwr ac yn sylwi fod y tamprwydd yn wal y tŷ wedi ei ddifetha. Sylweddola nad oes dim gobaith iddi bellach gael bywyd newydd yng nghwmni Gwynfor. Roedd y cyfle wedi mynd am byth. Yn y bennod hon hefyd cawn olwg ar Jac yn chwarae tric ar Sianco drwy ei annog i gyffwrdd y weiren a chael sioc drydanol.

### Pennod 26

Cawn wybod fod Sianco erbyn hyn wedi canfod cyrff cwningen a phioden yn yr ardd. Clywn hefyd fod Jac yn dechrau esgeuluso'i waith ac yn yfed yn drwm yng nghwmni Judy, ac erbyn diwedd y bennod cawn wybod fod Sianco wedi cael ychwanegiad arall at ei gasgliad o drugareddau, sef y botel wenwyn.

### Pennod 27

Mae'n ddiwrnod cynaeafu'r gwair, ac mae'r tri ohonynt yn cydweithio'n hapus i gario'r gwair tan hanner awr wedi hanner y nos. Cyn noswylio, fodd bynnag, mae Sianco'n ymweld â Chae Marged er mwyn dweud 'nos da' wrth y bwgan brain.

### Pennod 28

A hithau'n ddiwrnod gŵyl y banc, daw Sam Fish heibio i werthu mecryll ac mae Martha'n paratoi picnic ar gyfer y daith flynyddol i'r Banc Uchaf. Hwnnw yw eu hunig ddiwrnod o wyliau yn ystod y flwyddyn. Maent yn ymbaratoi ar gyfer y daith fel petaent yn mynd ar drip: mae Jac a Sianco'n ymolchi ac mae Martha'n rhoi cyrlers yn ei gwallt.

### Pennod 29

Mae llo newydd-anedig yn mynd ar goll, ac mae Jac mewn tymer ddrwg am ei fod am gael dechrau cynaeafu'r barlys, a hithau'n ddiwrnod poetha'r flwyddyn. Mae Martha a Sianco'n chwilio'n ofer am y llo ac yn yn anelu am Gae Marged er mwyn helpu Jac. Canfyddir Jac yn gorwedd wedi llewygu ac aiff Martha i'r tŷ i alw am ambiwlans. Wedi iddi ddychwelyd mae'n dweud wrth Sianco am aros ar ben y lôn i ddisgwyl am yr ambiwlans.

### Pennod 30

Aiff Martha i'r ysbyty yn yr ambiwlans gyda Jac ar ôl ffonio Wil Tyddyn Gwyn i ofyn iddo ofalu am y gwaith godro, ac ar ôl rhoi cyfarwyddiadau i Sianco. Yn yr ysbyty mae Martha'n cyfarfod Gwen, cyn-gariad Jac, sy'n nyrs ar un o'r wardiau. Clywir bod Jac wedi cael strôc. Yn ôl yn y Graig-ddu mae Wil yn gorffen godro'r gwartheg ac mae Sianco'n teimlo'n unig. Aiff i Gae Marged ac mae'n cael gwared ar ei rwystredigaeth drwy fwrw'r bwgan brain. Daw'r llo a fu ar goll er y bore hwnnw i'r golwg.

### Pennod 31

Ddyddiau lawer ar ôl i Jac gael ei daro'n wael, ac yntau'n dal yn yr ysbyty, daw Judy heibio i'r tŷ i nôl ei phethau un prynhawn pan ddaw Martha yn ôl o'r dref ar y bws. Dealla fod Judy wedi perswadio Jac i gofrestru'r cerbyd 4x4 yn ei henw hi, ac yn fwy na hynny rhaid i Martha dalu £50 i Judy er mwyn cael modrwy Mami yn ôl. Mae Judy'n cefnu ar y Graig-ddu am y tro olaf ac yn dychwelyd i Leeds.

### Pennod 32

Mae Jac yn cyrraedd adref o'r ysbyty a Martha'n ei ymgeleddu. Erbyn hyn mae Martha wedi penderfynu gwerthu'r stoc a gwneud trefniadau i gadw defaid tac. Clywn fod Judy wedi lladrata arian o'r cyfrif cynilo. Fel y mae'n nosi, aiff Martha am dro am awyr iach cyn belled â Chae Marged. Wrth iddi eistedd o dan y dderwen daw Sianco ati i ddangos yr anfadwaith a wnaeth Bob unwaith eto. Yna, daw'r olygfa deimladwy honno pan yw Martha'n agor ei chalon ac yn datgelu'n llawn ei chyfrinach.

### Pennod 33

Mae Jac yn dechrau gwella ar ôl rhai wythnosau o dderbyn gofal gan Martha. Aiff Martha i'r dref, ac yng Nghaffi Eurwen mae'n clywed y merched yn clebran am ei brawd. Yna, mae'n gweld Gwynfor ac mae yntau'n eistedd i gael paned yn ei chwmni. Mae'r ddau yn sgwrsio'n swil ac yn teimlo'r chwithdod. Ar ôl y cyfarfyddiad hwn â Gwynfor mae Martha fel petai'n gallu rhoi'r gorffennol y tu ôl iddi ac yn dechrau edrych ymlaen at roi trefn ar weddill ei bywyd. Ond daw'r bennod i ben drwy sôn am yr hyn a wnaeth Sianco yn ei habsenoldeb.

### Pennod 34

Yn ddiweddarach y prynhawn hwnnw mae Martha'n dychwelyd o'r dref ac yn canfod Jac yn farw yn ei wely. Aiff draw i'r storws a chanfod corff Sianco. Daeth yr ambiwlans a'r heddlu a'r wasanaethwraig gymdeithasol i'r ffordd, a bodlonwyd pawb mai Sianco a wenwynodd ei frawd cyn ei wenwyno'i hun, ac nad cael eu llofruddio a wnaethant.

### Pennod 35

Cynhaliwyd angladd Jac a Sianco a cherddodd Martha adref ar ei phen ei hun. Mae'n hel meddyliau am ddigwyddiadau'r dyddiau diwethaf yng nghanol ei hunigrwydd mawr. Nid oes neb ar ôl ond hi, ac wrth syllu ar fodrwy ei mam a osodwyd bellach ar ei bys priodas, yr hyn a ddaw i'w meddwl yw rhybudd Mami am y gwenwyn yn lladd saith gwaith, ac mae'n rhifo'r saith gelanedd.

# 10. Geirfa

**abo**, corff anifail marw.

**ambwti**, o gwmpas neu ynghylch.

**anner**, buwch ifanc, heffer.

**barlys**, haidd, ŷd.

**bennodd** < dibennodd, gorffennodd, diweddodd.

**biswel** < biswail, baw, budreddi.

**bobo**, bob un.

**bripsyn** < bribsyn, briwsionyn, tamaid bach.

**browlan**, traethu, llefaru.

**brwsh cans**, brws bras.

**bwtso**, stwnsio, cymysgu.

**cacs**, cacennau.

**cadair** (buwch), pwrs.

**cagle** < caglau, baw wedi caledu ar anifail.

**calosis** < galosis, bresys, strapiau i ddal trowsus i fyny.

**cario claps**, cario straeon.

**carlibwns**, cwympo'n gyfan, dros ei ben a'i glustiau.

**cawdel**, llanast.

**clatsho**, curo.

**clorwth**, peth mawr.

**clôs**, buarth fferm.

**clytsen**, tywarchen.

**cnu**, gwlân wedi'i gneifio oddi ar gefn dafad.

**copis**, balog trowsus.

**crugyn**, llwyth, pentwr.

**cwato**, cuddio.

**cwt**, cynffon.

**cylch o fwswm**, cylch o fwsogl.

**cystudd**, dweud y drefn, cael row.

**cywen** < cywain, hel gwair ynghyd.

**chwys drabŵd**, chwys domen neu chwys laddar.

**damsgen**, sathru.

**danjerys**, peryglus.

**defed tac**, defaid cadw dros y gaeaf.

**diti**, teth.

**dom da**, baw gwartheg.

**dyfyrio**, difyrru.

**geuled** <ceuled, lwmpyn o bridd caled.

**ffeili**, methu.

**ffit**, powld, digywilydd.

**fflwcs**, tameidiach mân o blu neu lwch neu wair.

**ffreipan**, padell ffrio.

**godderbyn**, gyferbyn.

**grisiau slat**, grisiau llechi.

**gronell**, rhan o berfedd iâr neu dwrci sy'n cynnwys wyau.

**gwenwyno**, cwyno, swnian.

**gwynio**, brifo, dolurio; gw. **winye** isod.

**hawch** < awch, min ar gyllell.

**hwnco** < hwn acw, yr un acw.

**lasog** < glasog, rhan o berfedd iâr neu dwrci sy'n treulio bwyd.

**lyborwch** < gwlyborwch, gwlybaniaeth.

**llaeth torro**, llaeth cyntaf y fam.

**lleithdy**, llaethdy, tŷ llaeth.

**lleitho**, tampio.

**llygoden ffyrnig**, llygoden fawr.

**llyo**, llyfu.

**maldodi**, rhoi mwythau.

**matryd cabetsien**, plicio cabetsen (ffurf fachigol cabaits).

**mogi**, mygu.

**mynco**, < y man acw, y fan yna.

**oglys** < goglais, cosi.

**pancws**, crempog.

**pilo tato**, plicio tatws.

**pipo**, syllu, sbecian.

**plant crynion**, plant ifanc.

**plet**, yn ei ddyblau'n chwerthin.

**porpoeth**, chwilboeth, berwedig o boeth.

**pothell**, swigen.

**pwdel**, mwd a baw.

**pwtso**, stwnsio, gwasgu.

**rem-rem** < grem, grwgnach fel tiwn gron.

**rhacsyn**, rhywbeth diwerth.

**rhaflyd**, wedi datod.

**rhibine**, rhesi neu renciau o wair.

**rhoi sŵn i**, dweud y drefn, ceryddu.

**salwyno**, anharddu.

**sgaprwth**, garw.

**sgelcian**, sleifio, symud yn llechwraidd.

**shwc**, jwg.

**sincen**, naill ai (i) padell sinc, neu (ii) tafell o ddur wedi'i galfaneiddio, shiten sinc.

**sleidro**, llithro.

**stablan**, sathru a sefyll.

**stecs**, mwd a baw, llanast.

**stode** < ystodau, rhes o wair, gwanaf.

**swch**, ceg, gwefusau.

**swrth**, diog, disymud.

**sych fel tanwent**, sych fel coed tân.

**tegyl**, tecell.

**ticin**, rhan allanol matres wely.

**toili**, cannwyll gorff sy'n rhagargoel o farwolaeth.

**tolio**, arbed, cynilo ('yng ngenau'r sach mae tolio/cynilo'r blawd').

**torred** < torraid, ael o gathod bach.

**trash**, tyfiant gwyllt mewn gwrych neu glawdd.

**wâc**, tro, taith.

**waco**, mynd am dro, mynd i grwydro.

**whilber**, berfa ('mor feddw â whilber galico').

**wilibowan**, sefyllian o gwmpas, hel traed, gwastraffu amser.

**winwnsyn**, nionyn.

**winye** < gwyniau, poenau; gw. **gwynio** uchod.

# 11. Darllen pellach

Yr Adran ar Caryl Lewis yn Emyr Llywelyn, *Themâu ein Llenyddiaeth: Blas ar Themâu ein Llenorion* (Tal-y-bont, 2007), tt. 10-21.

Caryl Lewis a Catrin Jones, *Martha Jac a Sianco: Sgript a Gweithgareddau*, Cyfres Codi'r Llenni (Tal-y-bont, 2007).

Awdl 'Gwaddol' yn Ceri Wyn Jones, *Dauwynebog* (Llandysul, 2007), tt. 71-8.

Geraint V. Jones, *Yn y Gwaed* (Llandysul, 1990).

John Gwilym Jones, *Tri Diwrnod ac Angladd* (Llandysul, 1979).

John Gwilym Jones, 'Beth yw Nofel?' yn *Swyddogaeth Beirniadaeth* (Dinbych, 1977), tt. 214-37.

Awdl 'Drysau' gan Twm Morys yn *Cyfansoddiadau a Beirniadaethau Eisteddfod Genedlaethol Maldwyn a'r Gororau*, 2003, tt. 12-16.

John Rowlands, *Ysgrifau ar y Nofel* (Caerdydd, 1992).

Angharad Price, *O! tyn y gorchudd* (Llandysul, 2002).

Caradog Prichard, *Un Nos Ola Leuad* (Dinbych, 1961).

Gerwyn Wiliams (gol.), *Rhyddid y Nofel* (Caerdydd, 1999).